SEPT VIES
POUR DIEU ET L'ALGÉRIE

SEPT VIES
POUR DIEU ET L'ALGÉRIE

Textes recueillis et présentés
par Bruno Chenu

avec la collaboration amicale des moines
de Tamié et de Bellefontaine

Bayard Éditions / Centurion

2ème édition

ISBN : 2 227 436 48 4
© Bayard Éditions 1996
3, rue Bayard, 75008 Paris

Introduction

Sept taches de sang sur une terre d'islam. Sept lumières dans la nuit de l'Atlas. Sept roses blanches sur le parvis des Droits-de-l'Homme. Sept vies pour Dieu et l'Algérie.

La mort tragique des moines de Tibhirine a bouleversé tout homme de cœur, croyant ou non, de part et d'autre de la Méditerranée. Les sentiments de révolte et d'admiration se sont mêlés sous le choc de l'événement. Au moment où la mémoire de ces sept frères trappistes passe à l'histoire, au nom même des cinquante mille anonymes de la nouvelle guerre d'Algérie, il importe de conserver précieusement et de faire fructifier leur message : une parole de paix, un geste de réconciliation, une prière d'espérance. La seule raison de cet ouvrage est de prolonger cette parole, ce geste et cette prière.

Mais qui sont donc ces moines qui ont vécu l'amour jusqu'à l'extrême ? Pas des surhommes, experts en performance ascétique et mystique. Mais une poignée d'humains bien représentatifs de la diversité de notre commune espèce : des intellectuels et des manuels, des communicatifs et des silencieux, des impulsifs et des calmes. Unis seulement par la quête de Dieu dans une relation fraternelle avec le peuple algérien. Faisons donc plus ample connaissance avec les sept membres de cette communauté qui ont été enlevés, seuls deux frères, Jean-Pierre et Amédée, ayant échappé au GIA (Groupe islamique armé).

Frère Christian de Chergé, prieur de la communauté, 59 ans, moine depuis 1969, en Algérie depuis 1971. La forte personnalité humaine et spirituelle du groupe. Fils de général, il a connu l'Algérie pendant trois ans au cours de son enfance et pendant vingt-sept mois de service militaire en pleine guerre d'indépendance. Après des études au séminaire des carmes à Paris, il devient chapelain du Sacré-Cœur de Montmartre à Paris. Mais il entre vite au monastère d'Aiguebelle pour gagner Tibhirine en 1971. C'est lui qui fait passer l'abbaye au statut de prieuré pour orienter le monastère vers une présence de « priants parmi d'autres priants ». Il avait une profonde connaissance de l'islam et une extraordinaire capacité à exprimer la vie et la recherche de la communauté. On pourra juger sur pièces.

Frère Luc Dochier, 82 ans, moine depuis 1941, en Algérie depuis 1947. Celui que l'on appelait « le toubib » était, selon ses propres termes, « un vieillard usé mais pas désabusé ». Né dans la Drôme, il exerce la médecine pendant la guerre, prenant même la place d'un père de famille nombreuse en partance pour un camp de prisonniers en Allemagne. Pendant cinquante ans à Tibhirine, il a soigné tout le monde, gratuitement, sans distinction. En juillet 1959, il avait déjà été enlevé par des membres du FLN (Front de libération nationale). Les crises d'asthme n'avaient pas atteint son humour corrosif. Il avait choisi pour son enterrement une chanson d'Édith Piaf : « Non, rien de rien, non, je ne regrette rien. »

Frère Christophe Lebreton, 45 ans, moine depuis 1974, en Algérie depuis 1987. Une personnalité chaleureuse et explosive. Septième de douze enfants, ce fils de Mai 68 a fait son service national au titre de la coopération en Algérie. Premier contact avec le monastère de Tibhirine. À 24 ans, il entre au monastère de Tamié. Mais il est amoureux de la terre algérienne. Il y sera ordonné prêtre en 1990 et deviendra maître des novices de la communauté. Son goût de la relation avec les plus humbles se double d'une volonté farouche d'aller toujours plus loin dans la réflexion de foi et le don de soi.

Frère Bruno Lemarchand, 66 ans, moine depuis 1981, en Algérie et au Maroc depuis 1990. Comme Michel et Célestin, il vient de l'abbaye de Bellefontaine. Mais auparavant il avait été directeur du collège Saint-Charles de Thouars (Deux-Sèvres) pendant quatorze ans. Fils de militaire, il avait connu l'Indochine et l'Algérie durant son enfance. En fait, c'est un peu par hasard qu'il se trouve à Tibhirine le 26 mars 1996. Depuis 1990, il anime l'annexe de la communauté à Fès au Maroc. Il est venu participer au vote pour le renouvellement du prieur. On le présente comme un homme posé et réfléchi.

Frère Michel Fleury, 52 ans, moine depuis 1981, en Algérie depuis 1985. Un homme simple, pour ne pas dire effacé, mais épris de pauvreté. Né dans une famille paysanne de Loire-Atlantique, il était entré au Prado à 27 ans et avait exercé le métier d'ouvrier fraiseur à Lyon puis à Marseille, avant de diriger ses pas vers l'abbaye de Bellefontaine. C'est là qu'il entend l'appel de l'Algérie. À Tibhirine, il est le cuisinier de la communauté et l'homme des travaux domestiques. C'est sa coule (vêtement monastique qui marque l'engagement définitif) que l'on a retrouvée après l'enlèvement, sur la route de Médéa.

Frère Célestin Ringeard, 62 ans, moine depuis 1983, en Algérie depuis 1987. Deux expériences marquantes en toile de fond de sa vocation monastique. D'abord la guerre d'Algérie où, infirmier, il soigne un maquisard que l'armée française voulait achever. D'autre part un travail d'éducateur de rue à Nantes auprès des alcooliques, des prostituées et des homosexuels. Ce prêtre diocésain a choisi tardivement la Trappe. Extrêmement sensible, il devra subir six pontages coronariens après la première visite du GIA au monastère, à Noël 1993.

Frère Paul Favre-Miville, 57 ans, moine depuis 1984, en Algérie depuis 1989. Un Haut-Savoyard bon teint, qui n'a trouvé qu'à quarante-cinq ans son chemin vers les sommets. Il a d'abord été plombier, a fait son service militaire en Algérie comme officier parachutiste. À Tibhirine, il est l'homme de l'eau, celui qui met en place un système d'irrigation des cultures. En mars 1996, il arrivait d'un séjour en famille avec une provision de pelles et de pousses de hêtres. Car Tibhirine, cela veut dire « jardin »...

« En perpétuels mendiants de l'amour »

Ce jardin-là ne constitue pas la première implantation des trappistes en Algérie, puisque Charles de Foucauld a séjourné à Staoueli, un monastère qui a existé de 1843 à 1904. En 1934, ce sont des moines de l'abbaye de Notre-Dame-de-Délivrance, à Rahjenburg, dans l'actuelle Slovénie, qui débarquèrent en Algérie. Le 7 mars 1938, douze moines, de Rahjenburg mais aussi d'Aiguebelle qui assume la paternité de la fondation, s'installent au domaine de Tibhirine, sous le patronage de Notre-Dame-de-l'Atlas. Vingt-cinq ans plus tard, en 1963, comme l'Église locale se vide de sa substance, la communauté vote la fermeture « progressive » du monastère, et l'abbé général entérine la décision.

La décision ne sera cependant jamais appliquée. À l'appel de Mgr Duval, archevêque d'Alger, les abbayes d'Aiguebelle et de Timadeuc se mobilisent et envoient en 1964 quatre frères chacune. La vie peut repartir. En 1984, Tibhirine renonce au statut d'abbaye pour devenir un prieuré autonome. C'est à partir de cette date que la communauté, sous la houlette du nouveau prieur, le frère Christian-Marie, va pouvoir vivre à fond sa vocation monastique en terre algérienne, étant alors la seule trappe en milieu non chrétien.

Quelle vocation ? Celle d'être « signe sur la montagne », selon les armoiries de Tibhirine. Non pas des croisés du dogme catholique, mais des frères d'un peuple qui se définit par l'islam. Les moines se consacrent donc à la prière dans un respect total de la religion qui les entoure, dans une humble soumission au dessein de Dieu, dans un service gratuit de la population locale, dans une recherche exigeante de communion « par le haut », « en perpétuels mendiants de l'amour ». Ils croient en la convivialité spirituelle des croyants, ils veulent même tracer des chemins d'émulation spirituelle. Ils réussissent un dialogue vrai entre chrétiens et musulmans dans le cadre de leur groupe dénommé « Ribât es-Salâm » (le lien de la paix), fondé en 1979.

Violence contre violence

Mais ils vont être rattrapés par l'histoire. En effet, le pays d'accueil, l'Algérie, vit une longue descente aux enfers. À la suite de l'indépendance chèrement acquise en 1962, le choix d'une voie algérienne vers le socialisme n'a pas donné les résultats escomptés. L'échec de la modernisation selon Boumediene et de la libéralisation selon Chadli Bendjedid pousse des populations appauvries du côté de la religion, ou d'un discours religieux. Le contrôle étatique sur toute l'activité économique ne profite qu'à une nomenklatura militaro-financière corrompue, de plus en plus mal supportée par le peuple. En 1988, des émeutes éclatent à Alger d'abord, puis dans d'autres villes, tant se dégradent les conditions de vie.

Faillite du parti unique, chute des cours du pétrole, poids de la dette extérieure, pression démographique, absence de politique du logement, chômage des jeunes : le recours va être un certain islam. Un islam traditionaliste colporté par des enseignants – notamment égyptiens et irakiens – qui développent le mythe d'un âge d'or de l'islam durant lequel régnaient la justice et la prospérité. Le terrain est prêt pour l'islamisme qui permet d'exprimer le rejet du système en place et de donner une identité aux laissés-pour-compte du développement économique et de la modernisation sociale. Cet islam se présente comme la solution de tous les problèmes, revendique la vertu, aide les pauvres et part en guerre contre l'Occident. C'est, selon l'expression de Joseph Maïla, « un détournement de transcendance », un travestissement de la religion musulmane. Mais le peuple a l'impression d'y retrouver son âme.

L'acceptation du multipartisme par le président Chadli et le mécontentement populaire font que le FIS (Front islamique du salut), aux élections de juin 1990, prend 853 municipalités sur 1 351. Aux élections législatives de décembre 1991, le FIS remporte le premier tour et peut même viser, au second tour du 16 janvier 1992, la majorité des deux tiers qui lui permettrait de réviser la Constitution. Coup d'État de l'armée le 11 janvier 1992. Les élections sont annulées et le FIS dissous. Apparaissent de nouveaux sigles comme l'AIS (Armée islamique du salut), bras armé du FIS, et le GIA (Groupe islamique armé), groupe le plus radical et le plus déterminé qui n'hésite pas à s'attaquer aux civils, intellectuels, professeurs, journalistes, écrivains, chercheurs, et aux étrangers.

Depuis 1992, l'Algérie est entrée dans le cycle ininterrompu de la violence et de la contre-violence. Les groupes terroristes et les forces de sécurité se livrent un combat sans merci. Et la communauté de Tibhirine se trouve juste sur la ligne de feu entre ceux que les moines appellent, par volonté de paix, les « frères de la montagne », les maquisards islamistes, et les « frères de la plaine », les militaires et les policiers.

Les textes ici recueillis et classés par ordre chronologique sont des lettres circulaires, des sermons, des conférences. Ils livrent, de façon inégalable, l'expérience de ceux qui prenaient peu à peu conscience du destin vers lequel ils allaient.

À travers les confidences des moines, nous pouvons sentir monter l'inquiétude. La neutralité est difficile à tenir. « Dans la ligne de ce qui nous " sépare ", il nous a fallu rester fermes dans notre refus de nous identifier à l'un ou l'autre camp, rester libres pour contester pacifiquement les armes et les moyens de la violence et de l'exclusion. » Les moines ont cette formule étonnante : « Dans la nuit, prendre le Livre quand d'autres prennent les armes. » Christophe ne se voile pas la réalité : « Oui, il y a des ennemis. On ne peut pas nous contraindre à dire trop vite qu'on les aime, sans faire injure à la mémoire des victimes dont chaque jour le nombre s'accroît. Dieu saint, Dieu fort, viens à notre aide ! » Le monastère veut garder le difficile équilibre entre partage de l'épreuve et présence à Dieu.

« Obscurs témoins d'une espérance »

Mais le règne de la terreur va obliger la communauté de Tibhirine à repenser sa vocation à une profondeur encore plus grande. En un mot, à se confronter à la mort. « Traditionnellement, c'est une compagne assidue du moine », reconnaissent-ils. Mais cette compagnie devient bien concrète quand on a l'impression d'être « un vivier offrant une réserve de victimes faciles pour d'autres représailles ». Surtout que la liste des victimes chrétiennes, religieux et religieuses, s'allonge.

Après la première incursion du GIA au monastère à Noël 1993, les moines vont donc reposer leur choix : rester ou partir ? S'ils restent, ce n'est pas par bravade ou par goût du martyre. Trois motifs s'imposent à eux :
– la conscience d'un appel intérieur. Être là

parce que le Christ est là. « Dieu a tant aimé les Algériens qu'il leur a donné son Fils, son Église, chacun de nous » ;

– la solidarité avec un peuple. Celui-ci ne peut partir, pris en tenaille entre deux violences. L'alliance avec ce peuple otage fait partie du vœu de stabilité lié à la vocation monastique ;

– la communion avec une Église. Cette Église qu'ils aiment tant et qui les aime tant. Leur évêque, Mgr Teissier, n'a cessé de les visiter, de les encourager, tout en leur laissant l'entière liberté de leur choix. Cette Église qui est algérienne et non pas française doit continuer son incarnation.

Allons-nous dire qu'ils ont choisi la mort comme ultime testament ? Ils ont reçu en don la liberté même du Christ : « Ma vie, nul ne la prend ; mais c'est moi qui la donne » (Jn 10, 18). Le frère Michel écrivait à son cousin après le 21 mai 1994, date de son cinquantième anniversaire : « Martyr, c'est un mot tellement ambigu ici... S'il nous arrive quelque chose – je ne le souhaite pas –, nous voulons le vivre, ici, en solidarité avec tous ces Algériens et Algériennes qui ont déjà payé de leur vie, seulement solidaires de tous ces inconnus, innocents... »

L'expression la plus juste pour exprimer leur cheminement au cours des deux dernières années serait celle-ci : « obscurs témoins d'une espérance ». Les moines de Tibhirine ont offert leur vie dans l'espérance d'une Algérie pacifiée, d'un dialogue constructif des croyants, du véritable culte qui plaît à Dieu. L'expression, citée par le frère Christian lors des assassinats de sœur Paul-Hélène et de frère Henri, est reprise d'une hymne liturgique qu'il vaut la peine de citer dans son intégralité, tellement elle condense le sens d'une vie donnée :

« La création dans les ténèbres
Gémit vers toi, Dieu de bonté ;
À son appel vient sur nos lèvres
Un cri profond d'humanité.

Obscurs témoins d'une espérance
Qui tend vers toi leurs mains liées,
Les prisonniers de la souffrance
Dans l'ombre ont faim de liberté.

Du plus lointain de la genèse,
Nos corps s'en vont vers le tombeau ;
Mais au creuset de la promesse,
La mort se change en feu nouveau.

L'Esprit d'amour emplit la terre
Dans un élan mystérieux ;
Il crie en nous : " Viens vers le Père !
Franchie la mort, tu verras Dieu. " »

Dans la nuit du 26 au 27 mars 1996, sept moines de Notre-Dame-de-l'Atlas ont été enlevés par un groupe du GIA. Pendant des semaines, nous n'avons pas su s'ils étaient morts ou vivants. Le communiqué n° 43 du GIA, en date du 18 avril, explique la raison « théologique » de leur rapt : « Tout le monde sait que le moine qui se retire du monde pour se recueillir dans une cellule s'appelle chez les nazaréens un ermite. C'est donc le meurtre de ces ermites qu'Abou Bakr al-Siddiq avait défendu. Mais si un tel moine sort de son ermitage et se mêle aux gens, son meurtre devient licite. C'est le cas de ces moines prisonniers qui ne se sont pas coupés du monde. En revanche, ils vivent avec les gens et les écartent du chemin divin en les incitant à s'évangéliser. Leur grief est plus grave encore. »

Le communiqué suivant, en date du 21 mai, annonce : « Nous avons tranché la gorge des sept moines. » La découverte de leurs corps près de Médéa, le 30 mai, confirmait l'acte ignoble. Les sept moines reposent désormais au « jardin » de Tibhirine, là où ils ont planté des graines de foi, d'espérance et d'amour. Ne se voulaient-ils pas des jardiniers de l'espérance ?

Aux yeux des chrétiens, les deux mois de séquestration ont fidèlement épousé le rythme de l'année liturgique. Passion-Mort-Résurrection-Pentecôte. Dans la chair de ses disciples exposés à la violence du monde, la suite du Christ devient imitation, et l'imitation, identification.

Mais le sacrifice des moines de Tibhirine a valeur de message pour l'humanité entière. Non, la barbarie n'est pas fatale. Non, les religions ne sont pas les tisons des nouveaux conflits mondiaux. Oui, le respect de la vie humaine est le fondement de toute vie en société. Oui, le parti de l'amour, du pardon, de la communion, est le seul qui donne un avenir à l'homme.

Longtemps encore résonnera au cœur de chacun, dans les larmes de l'émotion, le testament du frère Christian :

« S'il m'arrivait un jour – et ça pourrait être aujourd'hui – d'être victime du terrorisme qui semble vouloir englober maintenant tous les étrangers vivant en Algérie, j'aimerais que ma communauté, mon Église, ma famille, se souviennent que ma vie était DONNEE à Dieu et à ce pays... Et toi aussi, l'ami de la dernière minute, qui n'auras pas su ce que tu faisais, oui, pour toi aussi je le veux, ce MERCI, et cet « A-DIEU » envisagé pour toi. Et qu'il nous soit donné de nous retrouver, larrons heureux, en paradis, s'il plaît à Dieu, notre Père à tous deux. »
Les moines de l'Atlas ont inscrit en lettres de

sang la vérité ultime de toutes les religions : « Il n'y a pas de plus grand amour que de donner sa vie pour ceux que l'on aime. »

Bruno Chenu,
rédacteur en chef de *La Croix*,
1er juin 1996.

PS : La réalisation de ce livre n'a été possible que grâce à la qualité du travail des journalistes de La Croix, *à l'amitié du frère Philippe Hémon, de l'abbaye de Tamié, et du frère Étienne Baudry, abbé de Bellefontaine.*

I

TEXTES DES MOINES

Feuille de présentation du monastère aux hôtes

« Ma maison est une maison de prière
pour tous les peuples »
Lc 19, 46 ; Es 56, 7.

Des moines cisterciens de l'Ordre des cisterciens de la stricte observance (OCSO) venus de Yougoslavie et de France ont choisi, en 1938, le cadre naturel de Tibhirine (à six kilomètres au nord-ouest de Médéa) comme propice à la quête de Dieu et à l'écoute de sa Parole auxquelles leur vocation les consacrait, dans la solitude et le silence, à la suite de tant de leurs aînés de toutes confessions religieuses, de Pacôme et d'Antoine en Égypte, et du Christ lui-même.

Aujourd'hui, des hommes continuent de se livrer ici, d'un cœur libre et soumis, au service humble et caché de la toute-grandeur et de la toute-charité de Dieu, dans la louange des Heures, le travail de leurs mains et le partage total de la vie en communauté, selon la règle de saint Benoît (v. 480-v. 547), l'esprit et les constitutions de l'ordre de Cîteaux (fondé en 1098 à Cîteaux-lès-Dijon, d'où l'appellation « cisterciens »), et à l'école spirituelle inaugurée par saint Bernard de Clairvaux (1090-1153).

Hôtes du peuple algérien, musulman dans sa quasi-totalité, ces frères aimeraient contribuer à témoigner que la paix entre les peuples est un don de Dieu fait aux hommes de tout lieu et tout jour et qu'il revient aux croyants, ici et maintenant, de manifester ce don inaliénable, notamment par la qualité de leur respect mutuel et le soutien exigeant d'une saine et féconde émulation spirituelle.

Aux côtés des priants de l'islam, ils font profession de célébrer, jour et nuit, cette communion en devenir, et d'en accueillir inlassablement les signes, en perpétuels mendiants de l'amour, leur vie durant, s'il plaît à Dieu, dans l'enceinte de ce monastère dédié au patronage de Marie, mère de Jésus, sous le vocable de Notre-Dame-de-l'Atlas.

L'hôtellerie – ou maison réservée aux hôtes – relève de la même vocation d'accueil et de partage, d'écoute et de louange, de silence et d'unité, dans la joyeuse révélation de ce que chacun a d'unique au regard de l'Unique et pour le bonheur de l'univers tout entier.

C'est dire que cette hôtellerie n'est ni une pension de famille ni un hôtel (avec ou sans étoiles !) et moins encore un gîte touristique.

Elle est un lieu de prière et de restauration spirituelle ouvert à tous dès lors qu'on y vient chercher un climat de silence et de recueillement propre à éclairer une démarche d'homme et/ou de femme, sur le chemin de la vie, qu'on ait conscience ou non de la présence aimante de Dieu orientant l'existence vers son meilleur bien.

Profession solennelle du frère Christian
1er octobre 1976

Pareil événement ne s'était pas produit depuis avril 1952 ! vingt-cinq ans... le temps de laisser mûrir la vocation particulière que cette communauté cistercienne (trappistes), implantée à Tibhirine depuis 1938, déciderait un jour de professer, dans l'unanimité d'un « petit reste » enracinant, hic et nunc, son désir d'être « présence priante au milieu des frères chrétiens et musulmans ».

Le vendredi 1er octobre, frère Christian-Marie acceptait de se reconnaître pour toujours dans cette vocation particulière. « Le oui de Christian était aussi, visiblement, le oui de la communauté à ne plus faire qu'un », écrit un témoin qui ajoute : « Aujourd'hui, c'est un chemin de folle espérance ne s'appuyant que sur l'amour du Seigneur et non sur une certitude humaine. »

Plaçant son engagement sous le patronage de sainte Thérèse de l'Enfant-Jésus, « cloîtrée et missionnaire », « notre sœur d'enfance et de noviciat perpétuel », frère Christian voulut professer d'abord avec elle la patience, la tendresse et la miséricorde de Dieu qui l'avait conduit « ici, en ce jour ».

« Ici, en ce jour », c'est aussi vendredi en terre d'islam, en un moment du jour où la prière se sait plus universelle : « Vous êtes ici, en ce jour, vous mes frères de la communauté musulmane qui, en cette heure même, levez vos mains vers l'Unique. Seigneur, bénis-nous et garde-nous ensemble dans la joie toujours novice d'une profession de louange et d'action de grâces. »

« Ici, en ce jour », c'est l'assistance improvisée d'une célébration décidée très vite en fonction de la visite régulière de Dom Jean-de-la-Croix, abbé d'Aiguebelle. Dans son homélie, ce dernier cite et commente trois textes significatifs en leur complémentarité et admirablement ajustés à cette démarche d'un homme entrant à plein cœur dans « l'étonnant mystère de la communion des saints ». Le voici associé à tant de chercheurs de Dieu, quel qu'ait été leur chemin de perfection : « trouvant très douce la consolation du Saint-Esprit, ils acquerront une grande liberté d'esprit ceux qui, pour ton nom, entrent en la voie étroite ; ils auront la grande grâce, ceux qui se seront soumis de plein gré à la sainte servitude » (*Imitation de Jésus Christ*).

Le voici invité à recueillir l'ultime message de Thérèse de l'Enfant-Jésus et de la Sainte-Face, au soir de sa courte vie : « Maintenant, c'est l'Abandon seul qui me guide. Je n'ai point d'autre boussole... je n'ai plus d'autre office, parce que maintenant tout mon service est d'aimer. »

Enfin, le voici vibrant à son tour à cette parole de Dieu (*hadith qudsi*) adressée à Yahya, fils de Zacharie, et relue par l'école mystique musulmane de Khorasân :

« Ô Jean, j'ai convenu avec moi-même qu'aucun de mes serviteurs ne m'aimerait sans que je devienne son ouïe qui lui sert à écouter, sa vue qui lui sert à voir, sa langue qui lui sert à parler, son cœur qui lui sert à comprendre. Ô Jean, je serai l'hôte de son cœur, le but de son désir et de son espérance. Chaque jour et chaque nuit lui sont un cadeau de moi. Il se rapproche de moi et je me rapproche de lui pour écouter sa voix, par amour pour son humilité. »

Un message que le prophète Isaïe avait transmis lui aussi, identique et éternel, au début de la célébration (1re lecture : Is 43, 1-13) :

« Toi, mon serviteur, toi que j'ai choisi,
descendance d'Abraham, mon ami,
toi que j'ai tenu depuis les extrémités de la terre,
n'aie pas ce regard anxieux, car je suis ton Dieu.
Je t'ai appelé par ton nom, tu es à moi...
du fait que tu vaux cher à mes yeux,
que tu as du poids, et que moi, je t'aime,
je donne des hommes en échange de toi,

des cités en échange de ta personne.
Ne crains pas, car je suis avec toi ! »

Alors, comment ne pas laisser la prière se faire encore universelle ?

« Vous êtes ici, en ce jour, vous tous, frères et sœurs, chrétiens et musulmans, rencontrés au seuil d'une prière ou au rude chemin du quotidien en son temps partagé, absents de corps mais proches de cœur aujourd'hui comme hier et à chaque jour de la charité qui ne passe pas : Seigneur, bénis et fortifie tous ceux qui ont illuminé de leur amitié notre profession d'aimer ! »

Semaine religieuse d'Alger,
8 novembre 1976.

Priants parmi d'autres priants

Communication aux Journées romaines
de septembre 1989

C'est ainsi que notre petite communauté monastique, « épave » cistercienne dans un océan d'islam, parvenait à se définir dans l'Algérie indépendante de 1975, alors même que nous avions, semblait-il, huit jours pour quitter les lieux... où nous sommes toujours. N'y avait-il pas là, déjà, une forme de réponse à la question qui nous retient en ces Journées romaines : « Quel projet commun de société ? »

Les quelques réflexions que je tenterai de balbutier ici n'ont de sens qu'à partir de ce lieu où nous nous efforçons, jour après jour, depuis 1934, de vivre en société. Je parlerai donc en témoin, mais le témoin qui parlera est avant tout une communauté, même si en fait il m'a été donné par mes frères, dans des fonctions diverses, de me trouver au premier plan de la rencontre et du partage. Rien ne saurait s'expliquer en dehors d'une présence communautaire constante, et de la fidélité de chacun à l'humble réalité quotidienne, de la porte au jardin, de la cuisine à la « lectio » et à l'office des Heures.

Le dialogue qui s'est ainsi institué a son mode propre, essentiellement caractérisé par le fait que nous n'en prenons jamais l'initiative. Je le qualifierais volontiers d'existentiel. Il est le fruit d'un long « vivre ensemble », et de soucis partagés, parfois très concrets. C'est dire qu'il est rarement d'ordre strictement théologique. Nous fuyons plutôt les joutes de ce genre. Je les crois bornées.

Dialogue existentiel, donc, c'est-à-dire à la fois du manuel et du spirituel, du quotidien et de l'éternel, tant il est vrai que l'homme ou la femme qui viennent nous solliciter ne peuvent être accueillis que dans leur réalité concrète et mystérieuse d'enfants de Dieu « créés par avance dans le Christ » (Ép 2, 10). Nous cesserions d'être chrétiens – et tout simplement hommes –, s'il nous arrivait de mutiler l'autre de sa dimension cachée pour ne le rencontrer soi-disant que « d'homme à homme », entendez dans une humanité expurgée de toute référence à Dieu, de toute relation personnelle et donc unique avec le Tout-Autre, de tout débouché sur un au-delà inconnu.

Ainsi conçue, la vie professionnelle du moine relève sans doute plus directement de la fonction prophétique de l'Église, une fonction assumée ici mais « destinée à jeter des ponts ailleurs », comme le soulignait Jean-Paul II en s'adressant aux chrétiens du Maroc. Avec beaucoup d'autres chrétiens enfouis eux aussi dans la « maison de l'islam », j'aimerais témoigner qu'en islam comme en christianisme le prophétisme n'est pas clos.

L'espérance autrement dite...

Entre l'avoir et le pouvoir, entre une majorité et une minorité, comme entre le pessimisme et l'optimisme, la foi nous dit, ici et là, qu'il y a place pour un « tiers-monde » inédit, celui de l'espérance... Et si le moine peut avoir son mot à dire ici, c'est moins comme constructeur efficace de la cité des hommes (encore que...) que comme adepte résolu d'une façon d'être au monde qui n'aurait aucun sens en dehors de ce que nous appelons les « fins dernières » de l'espérance (eschatologie).

Un au-delà sous le signe du temps

Plus immense est l'espérance, mieux elle perçoit d'instinct qu'elle ne saurait s'accomplir qu'en s'investissant résolument dans une longue patience, avec soi, avec l'autre, avec Dieu même. C'est au jour le jour qu'il lui faudra s'entretenir, pour vivre. Tous les petits gestes lui sont bons pour se dire. Un verre d'eau offert ou reçu, un morceau de pain partagé, un coup de main donné, parlent plus juste qu'un manuel de théologie sur ce qu'il est possible d'être ensemble.

Nous sommes marqués, les uns et les autres, par l'appel d'un au-delà, mais la logique première de cet au-delà, c'est qu'il y a mieux à faire entre nous, aujourd'hui, ensemble. Un nouveau monde est en gestation, et il nous revient de laisser pressentir son âme...

Depuis trente ans que je porte en moi l'existence de l'islam comme une question lancinante, j'ai une immense curiosité pour la place qu'il tient dans le dessein mystérieux de Dieu. La mort seule, je pense, me fournira la réponse attendue. Je suis sûr de la déchiffrer, ébloui, dans la lumière pascale de celui qui se présente à moi comme le seul « musulman » possible, parce qu'il n'est que « oui » à la volonté du Père. Mais je suis persuadé qu'en laissant cette question me hanter j'apprends à mieux découvrir les solidarités et même les complicités d'aujourd'hui, y compris celles de la foi. J'évite ainsi de figer l'autre dans l'idée que je m'en fais, que mon Église peut-être m'en a transmis, ni même dans ce qu'il peut dire de lui actuellement, majoritairement.

Car l'exception m'intéresse aussi ! Dira-t-on, en effet, que le moine n'est pas un « vrai » chrétien sous le seul prétexte qu'il est, effectivement, plutôt « rare » ?

Il me paraît que vivre dans la « maison de l'islam », c'est sentir concrètement la difficulté, et donc l'urgence plus grande, de ces nouveautés de l'Évangile que l'Église n'a extraites de son trésor qu'assez récemment, disons même au tournant de Vatican II : non-violence pratique, urgence de la justice sociale, liberté religieuse, refus du prosélytisme, spiritualité du dialogue, respect de la différence, sans oublier la solidarité avec les plus pauvres, toujours à réinventer.

Dans le même temps, on perçoit bien qu'il serait contraire à l'Évangile de ne vouloir faire ces nouveaux pas vers l'autre que sous la condition que lui-même en fasse autant. On entend dire parfois : « C'est toujours nous qui prenons les devants. Maintenant, stop ! À lui de jouer ! » Comme si nous n'étions pas redevables, au premier chef, de l'initiative formidable prise par celui qui « nous a aimés jusqu'à l'extrême » (Jn 13, 1) ? Il nous faut échapper coûte que coûte à ce talion du « donnant-donnant ». Il nous hante encore de mille manières. Aller vers l'autre et aller vers Dieu, c'est tout un, et je ne peux m'en passer, il y faut la même gratuité.

Parce qu'un même horizon se propose à nous, il devient vital d'apprendre à cheminer ensemble au nom de ce qu'on a de meilleur en soi. Un verset affirme : « Nous leur montrerons bientôt nos signes, aux horizons et en eux-mêmes » (41,

53). Ce verset, nos frères 'Alawiyines de Médéa l'ont cité et commenté dès leur première rencontre avec le *Ribât*[1], à la Toussaint 1980. Il leur paraissait fonder l'initiative qu'ils avaient prise, quelques mois plus tôt, en venant prier avec notre communauté de l'Atlas.

Ils nous avaient alors déclaré, d'entrée de jeu : « Nous ne voulons pas nous engager avec vous dans une discussion dogmatique. Dans le dogme ou la théologie, il y a beaucoup de barrières qui sont le fait des hommes. Or nous nous sentons appelés à l'unité. Nous souhaitons laisser Dieu créer entre nous quelque chose de nouveau. Cela ne peut se faire que dans la prière. C'est pourquoi nous avons voulu cette rencontre de prière avec vous. »

Oui, nous pouvons vraiment nous attendre à du nouveau chaque fois que nous faisons l'effort de déchiffrer les « signes » de Dieu aux « horizons » des mondes et des cœurs, en nous mettant simplement à l'écoute, et aussi à l'école de l'autre, musulman en l'occurrence. C'est bien là l'objectif de notre *Ribât* qui, dès ses débuts, il y a dix ans maintenant (mars 1979), s'était reconnu dans l'intuition de Max Thurian, si proche de celle de nos amis de Médéa : « Il importe que l'Église assure aux côtés de l'islam une présence fraternelle d'hommes et de femmes qui partagent le

----

1. Groupe de rencontre interreligieux, *cf.* texte suivant (NDE).

plus possible la vie des musulmans, dans le silence, la prière et l'amitié. C'est ainsi que peu à peu se préparera ce que Dieu veut des relations de l'Église et de l'islam [1]. »

Et Jésus Christ ?

Il est précisément le grand sacrement de ce « tiers-monde » de l'espérance, l'initiateur de la foi en l'homme et son accomplissement en Dieu, aussi bien au-delà qu'au-dedans de nous, caché aux yeux du monde tout à la fois par la nuée du mystère divin et par le voile de l'incarnation continuée.

Jésus nous a lui-même prévenus : « Nul ne connaît le Fils si ce n'est le Père... » (Mt 11, 27). Teilhard commentait cela à sa façon : « Je crois que l'Église est encore un enfant. Le Christ dont elle vit est démesurément plus grand qu'elle ne l'imagine. » Ne nous arrive-t-il pas de l'oublier, et de croire qu'être chrétien c'est tout connaître du Christ ? « Dieu est plus grand, *Allâhu Akbar !* » Le Christ est plus grand, inconcevablement plus grand. Le proclamer dans la foi nue, c'est le meilleur témoignage (*chahâdâ*) rendu à sa divinité.

Aussi, pour enrichir notre connaissance partielle du moment, nous avons besoin de ce que l'autre peut y ajouter par ce qu'il est, ce qu'il fait,

---

1. *Tradition et renouveau dans l'Esprit*, Taizé, 1977, p. 14.

ce qu'il croit. Nos évêques d'Afrique du Nord l'ont bien dit dans un document de 1979 intitulé *Le sens de nos rencontres* : « Tournés vers l'avenir, nous attendons les élargissements prodigieux de notre regard sur l'homme et sur Jésus qui naîtront de l'interaction entre les cultures chrétiennes actuelles et les questions posées par les hommes des autres traditions de l'humanité [1]. »

Une société
en voie de développement spirituel

Nos deux fidélités peuvent apparaître comme deux poteaux parallèles ; ils ne se rencontreront peut-être qu'à l'infini, mais ils sont plantés dans le même fumier : souffrance, maladie, mort, en particulier. Les voilà dans la stricte verticale d'une même espérance.

« Jacob eut un songe : voici qu'était dressée sur terre une échelle dont le sommet touchait le ciel ; des anges de Dieu y montaient et y descendaient » (Gn 28, 10).

Une échelle ? L'image est traditionnelle, de Jean Climaque à Ghazzali. Façon de signifier que le tiers-monde de l'espérance est bien en voie de développement, comme tous les tiers-mondes, de développement spirituel. L'homme de ce tiers-

---

1. *Documentation catholique* n° 1775 du 2 décembre 1979, col. 1032 ss.

monde a été créé debout, et il invente la *scala*, précisément, pour l'accompagner dans ses montées ; l'échelle, avec deux montants, et des passages de l'un à l'autre, pour prendre appui, à intervalles plus ou moins réguliers.

« L'unicité de l'homme dans sa bipolarité matérielle et spirituelle est comme le pendant de l'unicité de Dieu [1]. »

Mais ces deux « unicités » ne sauraient être mutilées de cet élan intime qui les porte à s'épouser. Nous contemplons le premier fruit de cette alliance, un « homme nouveau » qui s'identifie à l'échelle, montants et barreaux confondus, un « homme déiforme » en vérité (Talbi), un homme cruciforme de toute éternité : « En vérité, en vérité, je vous le dis, vous verrez le ciel ouvert et les anges de Dieu monter et descendre au-dessus du Fils de l'homme » (Jn 1, 51).

L'appel monastique

Parce que cet homme nouveau se présente d'abord comme « seul pour le seul », il me paraît intéressant de faire un détour par la vie monastique. Un monachisme qui se présente historiquement comme antérieur au christianisme, et indépendant de lui, même lorsqu'il vient se

---

1. Mohamed Talbi, *Un respect têtu*, Nouvelle Cité, Paris, 1989, p. 134.

greffer spontanément sur le jeune tronc de l'Église comme un témoignage d'absolu aussi fort que le martyre.

L'islam est né au désert, comme le monachisme. Il en porte une marque indélébile. Le prophète resta lui-même « enclin à la méditation et au silence [1] ». Et la vie rituelle tend à situer le croyant « seul avec le Seul », même à Mekkâ quand les pèlerins se présentent par centaines de milliers. Le muezzin qui appelle à la prière s'exprime en solitaire : « Je témoigne... » (*Ashhadu*). De plus, au sein de l'islam comme dans le christianisme, s'entretient la conscience de n'être, comme Abraham, « qu'étrangers et voyageurs sur la terre... faits pour aspirer à une autre patrie » (He 11, 13 ss.) à laquelle conduisent tous les chemins de désert.

L'exode de toute « lectio divina [2] »

La parole de Dieu se présente aux uns et aux autres comme un viatique pour cette traversée du désert. Les Écritures sont le trésor où le chrétien aime à chercher, jour et nuit, du neuf et de l'ancien. « *Ausculta, o fili !* » Écoute, fils ! Ce sont les premiers mots de la règle de saint Benoît. « *Iqra !* Récite ! » Cet autre impératif ouvre le

---

1. Talbi, *op. cit.*, p. 21.
2. *Lectio divina* : lecture méditée de l'Écriture sainte.

Coran. Tout musulman l'entend pour soi. Et commence alors pour beaucoup un même exode plus loin que la lettre figée : « Prête l'oreille de ton cœur », précise saint Benoît.

Nos amis soufis aiment citer l'Évangile qu'ils ont tenu à lire. Tant de paraboles et de paroles de Jésus trouvent un écho vibrant dans le milieu musulman que nous connaissons ! Ne pourrait-on laisser retentir, dans la paix d'une écoute intérieure, le Livre de l'islam, avec le désir et le respect de ces frères qui y puisent leur goût de Dieu ? Ou faudra-t-il continuer de faire la sourde oreille au message de l'autre en contestant par principe son lien original avec le Tout-Autre ?

C'est qu'il m'est arrivé bien souvent de voir surgir du Coran, au cours d'une lecture d'abord ardue et déconcertante, comme un raccourci d'Évangile qui devient alors chemin vrai de communion avec l'autre et avec Dieu. Le Christ de Pâques, qui accomplit toutes les Écritures, ne pourrait-il aussi donner sens plénier à cette Écriture-là, sans rien altérer de son visage ? Impossible de s'en convaincre si on n'aborde pas le texte coranique avec un cœur pauvre et désarmé, prêt à se mettre à l'écoute du voyageur venu d'ailleurs, sur le chemin d'Emmaüs, prêt à se laisser dépayser aussi par un univers linguistique sémite auquel il serait bon de nous réacclimater. Car enfin aurons-nous l'audace et la simplicité d'emprunter ensemble une même échelle si nous refusons dès l'abord de croire qu'un même

Esprit de Dieu nous y invite ? « Dis : " Ô gens du Livre ! Venez à une parole commune entre nous et vous. " » (Coran 3, 64)

Une voie ascendante

Au-delà de cette « lectio » en parallèle que le contemplatif vivant en pays d'islam peut se sentir plus directement appelé à entreprendre, il faut en venir à toutes ces valeurs religieuses de la tradition musulmane qui sont un stimulant indéniable pour la fidélité que j'ai vouée par profession monastique. Entre les piliers de l'islam et les observances essentielles de toute vie consacrée, il y a des correspondances évidentes qui en font comme des échelons successifs pour une ascension commune. Le propre de l'échelon, en effet, est bien de s'enfoncer profondément dans chacun des deux montants de l'échelle, et, si possible, à un même niveau ! C'est quand on s'essaye à définir ces « niveaux » d'un authentique progrès spirituel qu'on s'étonne tout à coup de se trouver si proches.

Il faudrait énumérer : le don de soi à l'Absolu de Dieu, la prière régulière, le jeûne, le partage de l'aumône, la conversion du cœur, le mémorial ou *dhikr*, la confiance en la Providence, l'urgence de l'hospitalité sans frontières, l'appel au combat spirituel, au pèlerinage qui est aussi intérieur... en tout cela, comment ne pas reconnaître l'Esprit de sainteté dont nul ne sait d'où il vient ni où il va (Jn 3, 8), d'où il descend ni par où il monte ? Son office est toujours de faire naître d'en haut (Jn 3, 7), d'attirer sur une « voie ascendante » ('aqaba/ 90, 12-18).

Cette « voie ascendante » se révèle alors comme celle d'une « conversion réciproque par laquelle Dieu nous engage peu à peu (échelon après échelon), à la mesure de nos fidélités, dans la venue de son règne » (Év. Afr. du N., 1979, 10/3). Ce fut une des plus heureuses intuitions de notre *Ribât* que de choisir de vivre et d'approfondir, entre deux rencontres, c'est-à-dire six mois durant, un thème appartenant à l'une et l'autre tradition, et susceptible de nous tenir proches au quotidien : action de grâces, *dhikr*, alliance, épreuve, la mort de Jésus, conversion, amour fraternel, unité, vie spirituelle, le chemin de Marie... enfin, tout récemment, « appelés à l'humilité ».

Appelés à l'humilité

Au terme de ce partage, à Pâques 1989, il nous semblait qu'il nous faudrait toujours commencer par là tout dialogue entre croyants de bonne foi. Convenir ensemble que Dieu nous appelle à l'humilité, c'est renoncer logiquement à se prétendre meilleurs ou supérieurs. C'est aussi tendre vers une forme d'authenticité personnelle sans laquelle nous ne saurions prétendre à la vérité.

Chrétiens et musulmans, nous savons bien que le chemin de la conversion passe par une plus grande unité de vie. Mais ici, comment ne pas confesser le contraste, souvent stupéfiant, entre mon comportement humain et mon affirmation de foi ? Cette quête insatisfaite d'une réelle cohésion intérieure et pratique a au moins l'avantage de me conduire à la rencontre de l'autre, à ce niveau d'exigence spirituelle qu'il partage avec moi.

« Venez à moi, parce que je suis doux et humble de cœur » (Mt 11, 29). Cette image de Jésus hante l'islam qui a toujours attendu des chrétiens qu'ils la lui restituent. Dieu même semble le confirmer dans cette attente, et l'inviter à recevoir ce témoignage des religieux consacrés : « Tu constateras que les hommes les plus proches des croyants par l'amitié sont ceux qui disent : "Oui, nous sommes chrétiens" parce qu'on trouve parmi eux des prêtres et des moines qui ne s'enflent pas d'orgueil » (Coran 85, 82). Et, encore plus clairement, ce verset si connu et si difficile à interpréter : « À Jésus nous avons donné l'Évangile, et nous avons établi dans le cœur de ceux qui le suivent douceur et compassion, et la vie monastique qu'ils ont instaurée – nous ne la leur avions pas prescrite – uniquement poussés par la recherche du bon plaisir de Dieu... » (Coran 57, 27).

Ainsi la vie monastique – la vie chrétienne en général – est bien perçue comme consécration particulière à l'imitation des abaissements de

Jésus. Et le Coran convient qu'il ne saurait être un chemin obligé, une *sharî'a* pour tous : « Nous ne la leur avions pas prescrite... ». Le verdict va ensuite tomber, inévitable à nos yeux : « Ils ne l'ont pas observée comme ils auraient dû le faire ! » (Coran 57, 28). Le piège, ici, serait de refuser ce verdict. Grâce à Jésus, nous savons bien que Dieu seul est humble. Nos pauvres tâtonnements pour restaurer l'image proclament, à leur façon, ce que l'islam professe : la transcendance de l'Unique, y compris en humilité.

Une émulation spirituelle...

Allons plus loin. Cette blessure ouverte d'un appel à l'humilité implique une attitude mutuelle qu'il n'est pas facile d'observer. Dans ses voyages, Jean-Paul II, s'adressant aux musulmans – à Mindanao, au Nigéria, au Maroc, entre autres –, leur a parlé du « besoin » que nous avions de ce qu'ils sont, « de leur amour ».

Langage bien nouveau quand pèse entre nous un si long passé d'affrontements. Il va falloir « changer nos vieilles habitudes », reconnaissait le pape dans son discours de Casablanca : « Nous avons à nous respecter, et aussi à nous stimuler les uns les autres dans les œuvres de bien sur le chemin de Dieu [1]. »

---

1. *Documentation catholique*, 1985, p. 945.

Ce principe d'une émulation spirituelle ne saurait étonner les musulmans ; lorsque nous en parlons nous-mêmes, dans nos rapports avec eux, c'est en nous référant volontiers à ce verset souvent cité : « Si Dieu l'avait voulu, il aurait fait de vous une seule communauté. Mais il a voulu vous éprouver par le don qu'il vous a fait. Cherchez à vous surpasser les uns les autres dans les bonnes actions... » (Coran 5, 48).

La foi de l'autre est ici un don de Dieu, mystérieux bien sûr. Il impose le respect. Il ne prendra tout son sens qu'au sommet de cette échelle qui nous retourne ensemble vers le Donateur unique. Et ce don fait à l'autre m'est aussi destiné pour me stimuler dans le sens de ce que j'ai à professer. Le négliger, c'est manquer à la coopération au travail de l'Esprit, et à la part qui m'en revient.

Pourtant, ne faut-il pas avouer avec le P. Moubarac que l'émulation spirituelle reste « la parente pauvre du dialogue islamo-chrétien » ? Le témoin qui s'exprime ainsi est bien placé pour mesurer le trésor spirituel d'humanité qui s'est constitué, au ras du quotidien, entre chrétiens et musulmans, à travers l'histoire du Liban. Et si le drame de ce pays nous frappe en plein cœur, c'est bien parce qu'il menace de plein fouet cette convivialité spirituelle à laquelle nous ne saurions plus échapper...

Le charme de l'Esprit

Depuis qu'un jour il m'a demandé, tout à fait à l'improviste, de lui apprendre à prier, M. a pris l'habitude de venir s'entretenir régulièrement avec moi. Nous avons ainsi une longue histoire de partage spirituel. Souvent il m'a fallu faire court avec lui, quand les hôtes se faisaient trop nombreux et absorbants. Un jour, il trouva la formule pour me rappeler à l'ordre : « Il y a longtemps que nous n'avons pas creusé notre puits ! » L'image est restée. Nous l'employons quand nous éprouvons le besoin d'échanger en profondeur. Une fois, par mode de plaisanterie, je lui demandai : « Et au fond de notre puits, qu'est-ce que nous allons trouver ? De l'eau musulmane, ou de l'eau chrétienne ? »

Il m'a regardé, mi-rieur, mi-chagriné : « Tu te poses encore cette question ? Tu sais, au fond de ce puits-là, ce qu'on trouve, c'est l'eau de Dieu. »

Ce fait de vie, et bien d'autres encore, illustre bien ce que mon ami B., chauffagiste de métier et soufi par grâce, appellerait sans doute le charme de l'Esprit. Je lui disais un jour, en effet, que je m'étais mis à étudier les textes du Coran parlant de l'Esprit de Dieu. Il me semblait qu'ils pourraient livrer la clé du mystère qui nous unit par-delà ces divergences sur lesquelles nous butons infailliblement. Il me répondit, en commentant à sa manière un verset du Coran (17, 85) :

« L'Esprit, il ne faut pas trop chercher qui il est… ça lui enlève son charme ! »

Vers l'au-delà

Par son sommet, l'échelle de Jacob touchait aux cieux. Le moment est donc venu de donner à notre échelle du dialogue islamo-chrétien, et à la société qu'il instaure, son point d'appui vers l'au-delà. Il a fallu résister à la tentation de vouloir contempler avant d'avoir gravi. Dans la vision de la Genèse, comme dans celle qu'annonce Jésus en saint Jean, les anges commencent par monter, à l'inverse d'une théologie trop souvent « descendante ». La logique de l'incarnation ne nous laisse guère le choix !

Notre échelle est donc arrimée dans notre glaise commune. Entre les deux montants, nous avons vu se tendre des échelons qu'il s'agit moins de compter que de monter. Et nous voici, par-delà l'horizon, sûrs de trouver en Dieu cet appui solide, ce rocher consistant que chantent les psaumes. Mais c'est aussi là son mystère, opaque à nos yeux, impénétrable (El-Samad, l'un de ses plus beaux noms). Pour que tiennent tout contre lui les deux montants de notre échelle, il importe qu'il soit ceci et cela que nous disons, les uns et les autres, dans nos fois respectives :

« Si tu penses et crois ce que croient les diverses communautés – musulmans, chrétiens, juifs, mazdéens, polythéistes et autres –, sache que Dieu est cela et qu'il est autre que cela...[1] »

Notre échelle s'est voulue chemin de société. Elle peut donc légitimement prendre appui également sur cette réalité de la foi qui lui est ajustée, l'assemblée des élus ayant effectué le passage de ce monde au Père, immense « Église » qui, bien loin d'être repliée sur elle-même, se veut « extatique », selon le mot de Paul VI si souvent commenté par le cardinal Duval.

Christian de Chergé,
Bulletin du Conseil pontifical
pour les non-chrétiens, n° 73-1990/1.

---

1. Émir 'Abd-el-Qâder, cité par Mgr Teissier.

Propositions du Ribât es-Salâm

Pour concrétiser une volonté
de communion aujourd'hui

1. Gardons en mémoire, jour après jour, le thème que nous choisissons pour être, d'une rencontre à l'autre, notre lien de paix (*Ribât es-Salâm*) dans la prière, le service et la fidélité mutuelle.

2. Laissons-nous interpeller, désinstaller, enrichir par l'existence de l'autre ; écoutons-le, cherchons à mieux comprendre sa tradition religieuse telle qu'il la dit, et à la respecter telle qu'il la vit.

3. Restons ouverts à tout ce qui nous fait proches au chemin de la foi, partageant l'espérance de cette unité que Dieu promet à nos différences. Revêtons-nous de sa patience dans cette démarche.

4. Dans cet esprit, ayons le souci de promouvoir des groupes – si modestes soient-ils – de

prière et de rencontre entre hommes et femmes sincères et bienveillants.

5. Dans nos relations quotidiennes, prenons ouvertement le parti de l'amour, du pardon, de la communion, contre la haine, la vengeance, la violence qui nous atteignent tous actuellement. Entrons ainsi dans l'attitude du Dieu de tendresse et de miséricorde qui est avec tout homme souffrant.

6. Croyons au don de la paix que chacun porte en soi, pour soi, pour l'autre, pour le monde entier. Apprenons à la contempler par-delà les apparences. Qu'elle soit pour nous source de joie, de confiance et de persévérance dans le lien qui nous tient.

Lettre circulaire de la communauté
20 décembre 1992

Dans le nom qui nous porte ensemble,
paix à vous dont les noms sont inscrits
au livre de nos vies !

« Au nom de Dieu, le clément, le tout-miséri-cordieux... »

« *Bismillah !* » Ainsi commencent tout écrit et tout acte d'humanité dans la tradition musulmane.

« *In nomine Domini !* » traduit la fidélité chrétienne dans la Bible. C'était la devise de Paul VI.

Avant d'évoquer avec vous quelques-uns de ces noms qui ne sont plus directement écrits cette année au livre ouvert de notre vie communautaire, à Tibhirine comme à Fès, il nous faut peut-être nous présenter par ce nom qui nous désigne et nous garde en vos mémoires :

Atlas

Oui, le nom que nous portons, c'est Atlas. En référence à cette chaîne de montagnes qui traverse tout le Maghreb, passe sous nos fenêtres, à Tibhirine, comme Atlas tellien, puis va s'élever majestueusement dans le Sud marocain, après avoir contourné Fès, comme Moyen Atlas. Un nom mythologique : Atlas, ce géant condamné par les dieux à porter la voûte étoilée. Ainsi le nom que nous portons est un bon aide-mémoire. Car, si « vos noms sont inscrits dans les cieux », comme Jésus nous l'annonce (Lc 10, 20), nous ne sommes pleinement Atlas que si nous les portons tous à la face de Dieu. Inutile d'être un géant pour cela, grâce à Dieu !

Non, malgré la distance, et le temps, et notre condition isolée, vos noms ne sont « ni retranchés ni effacés devant nous » (Is 48, 19), et nous les confessons avec joie et gratitude devant le Père, au nom de Jésus (Jn 10, 3), comme la litanie qui nous sert d'identité.

Pierre

1917-1992. Africain noir et moine blanc. Le nom de notre frère est-il inscrit à jamais sur « pierre noire » ou « caillou blanc » (Ap 2, 17) ? Les longs méandres de son choix radical de Dieu n'en finissent pas de tisser des liens entre les mondes, toutes races, couleurs et religions mêlées du Sénégal au Maroc (Fès depuis 1988), en passant par l'Algérie où il restait « stabilié », et surtout le Cameroun : de Minlaba à Koutaba, il y vécut l'essentiel de son élan monastique vers l'au-delà (1951-1988). Il était entré à l'Atlas en 1948 par fidélité à l'Afrique qui n'avait pas alors d'autre monastère cistercien. Envoyé en pionnier d'un monachisme africain dès 1951, il ouvrit la voie aux huit maisons de moines comme aux sept communautés de moniales que notre Ordre compte désormais à la suite de Staoueli-Atlas (1843-1934) et Koutaba.

« Plus haut il y a un jardin ! » C'est peut-être cet instinct qui é-mouvait notre frère Pierre, lui donnant à la fois une telle ardeur à défricher tant de jardins successifs et un tel désir de partir ailleurs continuer son sillon. Sédentaire et nomade, cénobite et solitaire, silence jaloux et parole ardente, tant de vocations s'entrecho-quaient en lui, bien qu'il se voulût jusqu'à ses derniers jours « tout amoureusement engagé dans les desseins de l'Esprit ». Aussi, quand vint le mal malin, il ne se trouva « ni surpris ni affolé : " Le cancer, écrivait-il, c'est ma dernière et si bienheu-reuse vocation sur cette terre. " » Dans une lettre du 26 janvier, il écrivait encore : « La vie n'est donnée à l'homme que pour qu'il s'apprivoise peu à peu à Dieu, et finalement se sente dans son climat, immergé en Dieu. »

Il était si vivant que la mort l'aura surpris, lui conservant jusqu'au bout sa bonne humeur. « La bonne humeur spirituelle, surnaturelle, disait-il, est le fruit de la foi : c'est la conviction profonde que Dieu travaille à notre bonheur. »

C'était le 2 février. Cent ans auparavant, jour pour jour, un frère Albéric faisait profession dans notre Ordre à Akbès (Syrie). Entre Édouard Faye et Charles de Foucauld, une certaine complicité de vagabondage qui leur donnait de ne trouver leur vraie stabilité que dans la « lectio » (une cantine de notes !) et l'adoration du Saint-Sacrement, en mendiants...

Pour compléter le trio veuf de Pierre, notre frère Jean-de-la-Croix, consentant, a été coopté par nos frères de Fès. Il s'est donc fixé auprès d'eux, et... nous est arrivé François.

De Louis à François

Il est un peu plus jeune que l'Algérie indépendante. Il nous vient de Belgique à l'heure de l'Europe. Il nous vient d'Orval l'année où se célèbre le centenaire (1892) de l'union entre l'« observance de Septfonds » (mère d'Orval) et celle dite « de Melleray », mère de notre Atlas via Aiguebelle et Rahjenburg. Au contact d'une famille musulmane très simple, il a trouvé au Maroc le Christ et la foi de son enfance. Il cherche alors sa voie : l'Arche de Jean Vanier d'abord, puis la vie monastique, découverte à Orval. Là, on prend date pour l'entrée en communauté. Le maître des novices reste impressionné par la place de l'islam dans cet appel. En plein accord avec son abbé, il suggère un séjour à l'Atlas. C'est la découverte d'octobre 1990. Puis le chemin s'engage, comme prévu, à Orval. Le 2 février 1991, il devenait frère Louis par la prise d'habit. Le temps de laisser mûrir la liberté d'un choix, l'attrait d'un autre dépouillement où seraient inclus la famille, le pays et la communauté du premier « oui ». Le 31 mai 1992, un autre noviciat commençait ici, celui de frère François, avec un père maître tout neuf, frère Christophe.

On pouvait s'interroger : Quoi de commun entre Orval au Val d'or et Atlas l'immigré ? Tout le mérite de la réponse revient à Orval : Charte de charité est son nom ! Pas si facile de passer du nom à l'acte. Nous sommes si petits, mais notre « merci » ne l'est pas. Cette présence belge aurait grandement réjoui Mme de Smet qui, vingt ans durant, s'occupa d'action sociale entre nos murs. Épuisée, elle s'est éteinte le 15 juin.

À l'actif de notre charte de charité, il faut nommer également Dom Aelred, notre père immédiat [1], qui a tenu à se rendre à deux reprises auprès de nos frères de Fès. Aussitôt après la mort de frère Pierre, en février, puis, tout récemment, pour engager avec eux notre visite régulière. À suivre.

---

1. Le supérieur canonique, à savoir le responsable de l'abbaye mère, donc d'Aiguebelle pour le prieuré de l'Atlas.

Dans le même esprit, nous avons reçu deux lettres de notre abbé général, père Bernardo, qui nous ont vivement touchées. Elles nous ont rappelé les exigences d'une consécration personnelle à la contemplation, et le souci d'unité entre les différents monastères de l'Ordre ; là devrait être l'apport cistercien original à l'effort que l'Église entreprend pour une nouvelle évangélisation, c'est-à-dire pour se renouveler elle-même dans la ferveur, les méthodes et l'expression de sa propre présence évangélique au monde de ce temps.

Berdine

Un jumelage, c'est une charte de charité sous un autre nom. Celui que nous entretenons avec Berdine se révèle de mieux en mieux, dans la miséricorde et la tendresse partagées, l'intercession commune aussi auprès de tous ceux qui luttent contre le sida. Nous avons deviné tout cela notamment en Christian, un ancien du village, durant les quinze jours qu'il a vécu parmi nous, discrètement, simplement, heureux.

Philippe

Notre frère. Nous l'avons laissé partir en octobre 1991. Tant de désirs encore en lui. Comment faire dialoguer les vœux de l'Ordre et les notes plus personnelles d'un appel au singulier ? Une année à Beyrouth : garçon de salle dans un grand hôpital en zone chrétienne, puis enseignant de français de l'autre côté. Une expérience humaine de maturation spirituelle. Le sentiment que sa voie portait un nom : Atlas. Il est donc revenu nous le dire, et nous avons accueilli le renouvellement de son engagement temporaire, pour trois ans. Puis nous avons accepté qu'il reparte, envoyé cette fois pour une année d'arabe à plein temps ; à Beyrouth toujours, pour conserver le bénéfice des relations nouées, avec nos frères du Kesrouan notamment (annexe de Latroun). Le sentiment de vivre ainsi en communion plus concrète avec un pays encore si désarticulé nous a aidés à faire ce choix onéreux. Notre lien au Liban et notre lien à Philippe, c'est un peu un tout.

Ali

Depuis quarante ans, c'est sûr, depuis cinquante ans, peut-être, il ne le sait pas lui-même, il est au jardin, et il est de la maison ; et cela va de soi, pour lui comme pour nous. On a même fini par lui permettre de planter sa maison entre deux bouts de notre jardin.

Il est là, sauf quand il s'absente de plus ou moins mauvais gré pour sacrifier aux caprices rituels de l'administration ou de sa « maison » (ici, entendez... sa femme). Il ne fait pas de bruit, sauf quand il raconte ses malaises et diverses maladies, car alors c'est tout un monde bizarre qui s'agite, l'attaque, le prend là, et là, sans qu'il puisse le saisir : forces maléfiques qui, pour lui, sont reliées à ce monde de violence, de famine, de guerre, dont il reçoit les images choquantes, bouleversantes, à la télévision.

Le secret d'Ali a un nom : il s'appelle patience ! Patience de jardinier. Patience de qui a surtout obéi (chez lui aussi !). Patience de qui ne s'est pas endurci. Il en a vu, des choses. Il en a connu, des moines. Il saura vous dire leurs petits côtés, leurs défauts. Il tombe juste. Il peut dire vrai : qu'a-t-il à perdre ? Patience intelligente, pour en savoir plus sur ce qui l'intéresse. Et tout l'intéresse de ce que vous avez dit ou fait. Patience qui le dispose à se laisser aimer : ô le grand secret !

Ali a soixante ans cette année. Il doit prendre sa retraite au 31 décembre. C'est écrit dans la loi. Mais, pour la patience, prendre sa retraite, ce serait à désespérer.

Et nous-mêmes, comment nous en passer ? Un autre contrat à imaginer : non plus « ouvrier agricole », mais associé, et maître aussi (*cheikh*, comme on dit à l'école). Tant de choses qu'il sait et qui ne sont pas dans les livres. Pour frère François, *ammi* Ali (oncle Ali) est vraiment l'ancien que saint Benoît invite le novice à prévenir d'honneurs [1]. Et notre Ali entre dans

---

1. Règle de saint Benoît, ch. 63.

son emploi d'ancien en se prenant d'affection pour notre benjamin.

Philippe

Un autre Philippe nous est venu en frère, de Tamié, pour aider nos chantres Célestin et Christophe à chercher les notes qui conviennent à la communauté. Chacun va apprendre que le chant a un nom secret : c'est un acte de foi auquel il faut donner sa voix.

En quinze jours, tout aura un peu valsé dans nos offices, à commencer par nos Alléluia ! Pour le *Salve*, nous disait-il en gros, interprétez-le comme vous voulez. Il est sublime de mille manières. Mais, de grâce, n'escamotez plus le dernier mot. C'est un cri, et pas un soupir. C'est un nom, et quel nom : Maria.

Là-dessus, au moins, nous l'avons suivi. Beaucoup en sont même venus à penser à Philippe en chantant « Maria ». Est-ce un progrès ? Par bonheur, saint Benoît nous invite à accorder notre cœur et nos lèvres sans passer obligatoirement par le jugement de la raison...

C'est d'ailleurs cet accord-là qu'un autre fils de saint Benoît, moine d'En-Calcat, notre frère André-Jean, est venu nous aider, lui aussi, à vérifier, en nous invitant à revenir à notre cœur pour y faire retraite en présence du Verbe, toujours insolite à l'oreille de qui écoute gratuitement.

Mohammed

Là, il faut bien en convenir, il y a beaucoup de Mohammed au livre de nos vies. Mais il s'agit bien d'un nom personnel, et chacun est unique.

C'est Mohammed qui nous garde, un peu moins professionnellement depuis que le seul trésor digne de ce nom dans notre enclos est sa petite fille Kenza (trésor).

C'est Mohammed, un autre, le fils d'Ali, qui s'associe à nous au jardin comme pour le *Ribât*. Son islam a un nom : « ouverture ». Pour la première fois, il vient de se rendre outre-mer, accompagnant Christophe à Tamié, aux Dombes, à Aiguebelle, à Berdine, en famille(s), si bien accueilli partout. En rentrant, il confesse : « Tu sais, là-bas, j'ai rencontré de vrais musulmans. » Les cœurs simples ont des raccourcis qui savent bousculer les noms et les étiquettes...

Mohammed encore, notre « confrère » de la *Târiquâ 'Alawiyâ*. Il a réussi à s'échapper une semaine pour accompagner frère Christian à Fès. Là, il a fait retraite : les différences changent de sens quand elles peuvent se dire, comme pour mieux contribuer à la confession d'une communion sous-jacente, qu'une même exigence spirituelle donne à croire.

Ribât

Avec lui et ses frères, et d'autres encore, notre *Ribât* – ce nom commun qui signifie « lien » – s'est imposé peu à peu comme un nom propre, celui de *Ribât es-Salâm* (le lien de la paix). Ce groupe n'a cessé de se réunir deux fois l'an depuis 1979 ; deux fois sept ans, bientôt, et vingt-huit thèmes pour nous porter successivement d'une réunion à l'autre. Nous sommes passés, cette fois, de la prière du jeune Samuel : « Parle, Seigneur, ton serviteur écoute », à celle du pèlerin de La Mecque : « Mon Seigneur, dispose-nous à la rencontre ! »

Pour cette rencontre, nous disait Mohammed, « il faut faire comme Moïse, ôter ses sandales. Quand on est pieds nus, on marche doucement, humblement. » Et maintenant, c'est une même question qui nous tient unis, jour après jour, jusqu'en avril : « Veilleur, où en sommes-nous de la nuit ? » (Is 21, 11). Une question bien située dans le temps de l'Avent. Une question lancinante quand rien ne va plus au cœur du peuple.

Mohammed, c'est aussi le président Boudiaf. Son assassinat, le 29 juin, aura signé dramatiquement la douloureuse tension du pays depuis le brusque arrêt du processus électoral décrété en janvier à la suite de la nette majorité acquise au FIS dès le premier tour des législatives, le 26 décembre. L'homme de la rue, frustré de son vote, commençait à prêter l'oreille à ce grand vétéran de l'indépendance propulsé à la tête de l'État après vingt-huit ans d'exil volontaire au Maroc. Sa voix sonnait juste lorsqu'il donnait à son programme les noms de probité, de travail, de participation, d'union nationale. La conscience populaire y trouvait des repères. Les jeunes étaient sensibles à ce style direct. Les voici de nouveau en terrain vague.

Henri

Le nom de notre évêque. Associé à celui de son prédécesseur, Léon-Étienne (Duval), il dit notre Église au mémorial de chaque eucharistie. Une Église dont la présence parle davantage au moment où beaucoup chercheraient plutôt à fuir. Algérienne parmi les Algériens : « Quelque chose de pas très clair, commente Mgr Scotto, cela s'impose ! » Dans une méditation récente, Mgr Teissier évoque Marie au pied de la croix : « Quand le peuple souffre, c'est déjà beaucoup d'être là, pour porter ensemble cette souffrance maintenant. Nous n'avons pas à attendre, pour faire quelque chose, que les événements difficiles que nous vivons soient dépassés... C'est dans ce moment-là aussi que Jésus dépasse sa souffrance et le cri de la désespérance, par un geste d'affection filiale et d'amitié fraternelle : " Voici ta mère... Voici ton fils ! " C'est le petit geste de la tendresse humaine. En apparence, il n'est pas au niveau du drame... pourtant il annonce et pré-pare l'avenir. »

Dans un tel contexte, nous avons accepté de participer au conseil presbytéral, et aussi d'accueillir et d'animer une retraite des prêtres du diocèse (évêque en tête). À Fès, ce sont les prêtres qui fréquentent le plus volontiers la petite hôtellerie. Urgence de la prière et du silence mieux ressentie par tous, ici et là. Il faudrait citer beaucoup de noms pour dire aussi tout ce que nous recevons. Mentionnons seulement :

Guy

Guy Gilbert, sans doute, qui, à l'occasion de la retraite sacerdotale, nous a conduits sur des chemins d'Évangile pour cascadeurs au cœur solide.

Mais Guy, ce fut pour nous, dans un tout autre style, le père Vandevelde, alors curé de Blida, notre voisin. De mois en mois, avec un art pédagogique consommé, il nous a assuré un recyclage philosophique éclairant. En juillet, on avait pris rendez-vous pour un autre parcours annuel, en arabe liturgique cette fois. Prêtre jeune (35 ans), Guy a préféré solliciter, dès la rentrée, un ministère plus classique et moins solitaire, en France.

Marie et Danielle

Elles ont envisagé plutôt le chemin inverse en venant, à la rentrée, interroger notre Église et le pays sur ce que pourrait être une insertion de leur congrégation, récente et dynamique, dans la ligne de leur vocation d'attention fraternelle aux diverses situations du tiers-monde. Un couple algérien de leurs amis, à qui elles demandaient comment ils comprendraient leur présence ici, leur a fait cette réponse : « Si c'est pour des œuvres humanitaires comme dans les autres pays du tiers-monde, ce n'est pas utile. Si c'est pour être là, témoigner de ce qui vous fait vivre, de ce que vous êtes, et partager ce que nous sommes, alors, oui, cela vaut le coup. Tout ce qui peut aller dans le sens d'une reconnaissance vraie, mutuelle, nous aidera à sortir de l'isolement où l'intégrisme nous enferme. »

Algérie

Ce dernier témoignage, vous l'aurez saisi, nous balise bien la place que nous voulons nôtre. Il sollicite aussi un acte de foi que nous aimerions vôtre.

Récemment, dans un livre publié en Algérie (Laphomic, 1989) puis en France [1], Jean Pelegri, né lui-même près d'Alger, fait très bien ce que, sans doute, vous attendiez de nous. Sa description de la situation est aussi un message : « Sont revenus des mots et des images que l'on croyait à jamais révolus, le mot « douleur », le mot « colère ». Le mot « suspect » pour celui qui

_____
1. *Ma mère l'Algérie*, Actes Sud, 1990.

se dresse contre l'injustice. Le mot « répression »... le mot « souffrance », le mot « stupeur ». Et, pour finir, le mot « torture »... Au nom de qui ? Au nom de quoi ? Et qu'est donc devenue cette Algérie qui avait rendu ce mot ignoble dans la conscience des nations ?... Je dis cela pour l'Algérie parce que, malgré tout, je continue à croire en elle. Parce que son peuple est encore inemployé. Parce que son avenir est encore devant elle...

Je le dis dans une sorte de prière au Dieu clément et miséricordieux, parce que je sais qu'elle peut enfin devenir elle-même, ce beau mot en sept lettres – A.l.g.é.r.i.e –, si, par la liberté et les droits de l'homme et du citoyen, elle retrouve ses textes, ses sources et sa mémoire » (p. 82-84).

Après l'effroyable attentat de l'aéroport d'Alger, en août dernier, et alors qu'était déjà longue la liste des policiers ou gendarmes abattus par des terroristes insaisissables, notre cardinal (89 ans) lançait aux Algériens un cri vibrant, largement répercuté par la presse et la radio nationale : « J'appelle tous les hommes de cœur à travailler avec force et détermination à un renouveau de confiance. »

Sollicité par l'un d'entre nous à lui fournir une intention de prière pour l'office qui allait suivre, Mohammed (27 ans, le fils de notre Ali) répondait récemment : « Qu'il ouvre de plus en plus le cœur de tous au chemin étroit de la confiance ! »

Confiance

La confiance, tel est bien le don de Dieu qu'il nous faut solliciter alors que les temps restent si sombres (Bosnie-Herzégovine, Soudan, Somalie...) au seuil de 1993. Ancien et jeune se relaient pour exprimer l'urgence de ce vœu. C'est donc celui que nous formulons pour chacun de vous dont les noms sont inscrits au livre de nos vies sous ce signe merveilleux qui est aussi le plus beau cadeau de l'homme à son frère : confiance, donc !

Car enfin la confiance est le nom infiniment noble que l'amour prend en ce monde lorsque la foi et l'espérance se rejoignent pour lui permettre de naître.

Que ce soit Noël, tout jour !

La communauté monastique
de Notre-Dame-de-l'Atlas à Tibhirine et à Fès.
Quatrième dimanche de l'Avent,
20 décembre 1992.

Questionnaire
en préparation du synode 1994
sur la vie consacrée
1ᵉʳ janvier 1993

Comment notre vie consacrée (« vœux », vie commu-
nautaire et de prière, engagements apostoliques) est-
elle marquée par l'environnement spécifique dans
lequel nous vivons ?

Notre réalité d'étrangers conditionne les
modalités de notre présence : effectif limité (fixé à
12 + 1 par convention avec la police locale),
dimension relativement réduite de notre terrain
(passé de 374 hectares à 12 hectares après l'indépendance), cartes de résidence à renouveler (alors
même que nous continuons de faire profession de
stabilité définitive...), devoir de réserve en matière
politique, sociale et religieuse... Le milieu culturel
et cultuel constitue notre plus exacte clôture.

L'accueil et la compréhension assez excep-
tionnels de bon nombre de nos voisins ou
relations contribuent à rendre moins étanche la

stricte frontière de l'*Umma* islamique entre eux et nous. On ne saurait parler pour autant de « liberté religieuse ». L'islam, tel qu'il s'enseigne, n'invite pas à la curiosité vis-à-vis de la foi chrétienne telle que nous la professons. Et il est vrai que les consciences semblent évoluer à l'aise dans un tel discours. Par ailleurs, l'expérience prouve que, pour pouvoir tenir là où nous sommes, il faut en avoir délibérément accepté la réalité musulmane.

Dans les faits, nos amis les plus ouverts restent embarrassés : notre célibat, évidemment, et tout autant, peut-être, une vie communautaire entre hommes, nos longs temps de prière et notre souci de silence, notre bourse commune, les soins du ménage... Tous nous savent gré de nous efforcer d'être discrets. Ils apprécient de pouvoir conserver l'initiative de la relation : si nous accueillons le tout-venant qui se présente, nous ne rendons pas de visites, sauf rares exceptions.

La présence d'un médecin parmi nous – et depuis 1946 ! – continue de contribuer fortement à l'image de marque du monastère. L'envergure humaine de notre frère et les services qu'il rend sont une référence aussi bien pour l'extérieur que pour chacun de nous. Au lendemain de l'indépendance, la communauté a pu se croire appelée à s'investir plus largement dans le secteur social : école primaire, « soupe », PMI... Les circonstances nous ont amenés à y renoncer et à comprendre que notre raison d'être là doit trouver à se proposer autrement.

Il fallait sans doute situer ainsi les limites du cadre général pour mieux faire ressortir les traits particuliers qu'elles confèrent à notre consécration monastique.

Nous en sommes arrivés à nous définir comme « priants au milieu d'autres priants ». Venant de notre cloche ou du muezzin, les appels à la prière établissent entre nous « une saine émulation réciproque ». De même les temps forts que sont les grandes fêtes musulmanes (Noël également) et les mois de ramadan et de carême (surtout quand ils interfèrent) nous permettent de faire « un bout de chemin ensemble ». C'est une vraie joie de voir certains de nos proches entrer spontanément en complicité de cette forme plus spirituelle de convivialité. Peu d'arabe dans notre liturgie, mais notre intercession des Heures ou de l'Eucharistie, notamment le vendredi, et certains rites ou gestes portent la marque d'une attention privilégiée à notre environnement. Enfin, nos rapports réguliers depuis 1980 avec des voisins de Médéa engagés dans une confrérie soufie nous aident à rester à l'écoute des « notes qui s'accordent », non sans une constante révision de ce que notre foi peut dire d'elle-même pour ne pas « éteindre l'Esprit » quand celui-ci la sollicite à travers l'autre et sa propre foi.

Notre travail, essentiellement agricole, ne saurait se concevoir en autarcie même partielle. Il nous a donc fallu inventer des modalités d'association avec des voisins. Cela se vit dans un climat de dialogue et de coresponsabilité à la fois sain et exigeant. Nos relations y gagnent en confiance vraie, de même qu'elles ont gagné en respect mutuel depuis que nous avons offert un local pour servir de mosquée provisoire.

La plupart de nos voisins vivent encore petitement, rudement, les uns sur les autres. Même dans notre grande maison, nous ne pouvons l'ignorer. Nous y voyons un appel à accepter au moins cette forme de pauvreté qui consiste à se contenter de ce qu'on trouve sur place (livres et médicaments exceptés). Accepter aussi d'être souvent sollicités : services rendus, services reçus constituent la trame d'un quotidien où l'autre nous bouscule toujours un peu. C'est là, à nos yeux, le lieu le plus vrai de notre témoignage.

À travers tout cela se définit un lien privilégié avec l'Église locale vouée au même partage. Dans des conditions d'existence souvent plus difficiles que les nôtres, la plupart des permanents chrétiens ont eu à s'ancrer davantage dans la foi et la prière pour pouvoir tenir sereinement malgré l'incertitude, et gratuitement quand on ne sait plus trop à quelle « mission » on correspond. Notre accueil à l'hôtellerie porte fort la marque de ce besoin plus grand de ressourcement spirituel régulier. Nous nous sentons le devoir d'y être plus disponibles.

Paul VI nous appelait à « l'apostolat de la vie cachée ». Cette vocation nous tient secrètement très proches des chrétiens algériens qui doivent associer la vie cachée et l'Évangile, en restant dans la mêlée.

L'Algérie vous aide-t-elle à vivre votre consécration ? Si oui, en quoi ? Inversement, quels sont les obstacles ou les difficultés que vous rencontrez ?

Cela nous aide de nous sentir insérés dans un tissu compact d'humanité, et pourtant séparés : « dans le monde, sans être du monde ». On est préservés ici de toute mondanité. Le chemin des « nantis » passe ailleurs. Nous ne sommes plus des notables, ni même des « références » utiles...

Cela nous aide d'être contraints à rester petits et dépendants du milieu d'accueil, tenus de partager la crise et l'insécurité du moment, sans aucune prise sur l'évolution du pays. Nous sommes ainsi ramenés à un sens premier de l'appel monastique : signifier que l'homme est « étranger et voyageur sur la terre »... L'invitation à faire confiance en Dieu seul (*tawwakkul*), si souvent invoquée ici, relève de notre consécration. Nous ne pourrions nous étonner d'habiter « une maison incertaine ». On vit au jour le jour...

Cela nous aide d'être tenus de correspondre à notre « raison sociale » officielle : office de prière et travail modeste. Le comportement de nos voisins reste globalement celui de gens pauvres et religieux. « Ça serait scandaleux de mal vivre notre vocation » dans un tel contexte. Ils savent pratiquer le partage. La relation et l'hospitalité comptent beaucoup pour eux. On s'y exerce, en acceptant des leçons...

Cela nous aide plus particulièrement d'être confrontés en tout à l'omniprésence de l'affirmation musulmane. Comment allons-nous la respecter, sans exclure a priori, sans inclure indûment ? Elle dit Dieu partout : il y a là un « microclimat » qui libère la foi de tout respect humain ou fausse réserve.

De plus, la tradition musulmane véhicule des valeurs qu'on s'attend d'ordinaire à trouver chez des « moines » : prière rituelle, prière du cœur (*dhikr*), jeûne, veilles, aumônes, sens de la louange et du pardon de Dieu, foi nue en la gloire de Dieu et en la « communion des saints ». Ce dernier mystère, essentiel pour nous, indique le lieu de la rencontre sans donner prise sur le chemin qui y conduit. On se laisse alors stimuler, et l'Esprit de Jésus reste libre de faire son travail entre nous en se servant de la différence, même de celle qui nous heurte. Nous le reconnaissons à son œuvre. Nous recevons de la prière silencieuse longuement vécue côte à côte, avec nos amis soufis notamment, un sentiment de plénitude qui trompe d'autant moins que nous le savons profondément partagé. « Dieu en sait davantage ! »

Cela nous aide, redisons-le enfin, de nous savoir intégrés dans une Église locale constituée de personnes qui ont des visages, et dont les choix rejoignent les nôtres. Nos évêques nous ont manifesté de mille manières leur soutien. Tels amis prêtres vivant quasiment en ermites, telle chrétienne complètement isolée, nous servent de repères, avec d'autres, par la qualité de leur présence, de leur silence, de leur prière, de leur vivre-avec. Ne sont-ils pas les vrais « moines » ? les vraies « moniales » ?

Des obstacles ? Il en existe également, c'est sûr, et ils peuvent entretenir la tentation de découragement, de fuite, de rejet global de l'autre...

Il y a l'obstacle de la langue : « la croix et la bannière » !... et celui, tout aussi consistant, de la culture qui heurte de front nos préjugés, nos tempéraments, nos habitudes de penser ou d'agir. On se surprend même à des réflexes inconsciemment raciaux. Tant d'approches différentes : travail, régularité, sens du temps, de la vérité, de la gratuité, même en amitié... La sexualité aussi, et la relation homme-femme difficile à gérer. L'emprise d'un islam intégriste peut être ressentie comme une menace directe d'obstacles supplémentaires.

Il y a la « différence » que nous représentons au sein de l'Ordre, de notre région (France Sud et Ouest) spécialement.

Il y a la distance. Le décalage se creuse vite au niveau de ce qui se développe en société (informatisation généralisée, par exemple) et dans le monde, comme à celui de ce qui se cherche ou se pratique en Église. Comment assurer une formation permanente avec les seuls moyens du bord ?

Moins facile qu'autrefois de croire que la sagesse est de « cultiver son jardin » !

Avez-vous le sentiment que le charisme de votre Ordre trouve en Algérie son climat traditionnel ? une expression neuve ? En quel sens ?

Face à cette question, nos réponses ont divergé. Essentiellement sans doute parce que notre Ordre cistercien n'a pas actuellement d'autre maison en milieu strictement non chrétien et appelé vraisemblablement à le demeurer. Toutes les fondations récentes, y compris en Inde, ont partie liée avec un noyau ecclésial local susceptible de fournir des vocations autochtones. Lors de sa fondation, en 1934, notre monastère pouvait s'appuyer sur la minorité chrétienne constituée par les colons, de même que son aîné, Staoueli (1843-1904). Après l'indépendance, un abbé général disait clairement : « L'Ordre ne peut se payer le luxe d'un monastère en monde musulman. » En ce sens, on peut parler de « nouveauté ».

Notre communauté sait qu'elle ne peut se recruter sur place. Il lui faut croire que l'Esprit saint peut susciter des vocations venant d'ailleurs pour correspondre à ce qu'elle est. Cette confiance est plus aisée quand on constate que la plupart d'entre nous ont répondu à un appel personnel de cette sorte, même quand il y a eu une étape intermédiaire dans un autre monastère de l'Ordre.

Certains éprouvent néanmoins comme un manque l'absence de frères originaires du pays, notamment au plan de l'acculturation, et aussi de la constitution d'une Église locale.

Cette particularité (mieux que « nouveauté ») nous amène, il est vrai, à moduler certaines constantes du charisme de l'Ordre en fonction de l'environnement : équilibre à trouver dans les relations avec le voisinage ; association dans le travail, et non pas simple salariat ; interpellation au niveau des expressions de la prière et de la vie de foi pour rejoindre, quand faire se peut, ce qui se pratique en fidélité musulmane. « Notre culture monastique peut y puiser et s'embellir », a-t-on dit. L'an dernier, notre nouvel abbé général, P. Bernardo, nous encourageait vivement en ce sens : « Vous avez la mission d'inculturer le charisme cistercien afin que les manifestations de ce monachisme puissent s'enrichir de ce que vous aurez glané dans la culture locale. »

Pourtant il faudrait souligner davantage encore ce qui nous situe dans le climat traditionnel de l'Ordre, parfois même beaucoup plus naturellement qu'ailleurs (en Europe, par ex.).

Simplicité, discrétion, clôture, hospitalité, gratuité sans efficacité apparente et sans œuvres, tout cela va de soi ou presque parce que sollicité, on l'a dit, par le milieu d'accueil, souvent jusque dans sa législation. Les échanges en nature sont encore possibles, ainsi qu'une économie de type rural. La régularité de la prière, chez les musulmans, comme leur référence à une Parole de Dieu et à sa présence constante, contribuent aussi à créer autour de nous le climat qui est nôtre. Enfin on nous invite plus ou moins à rester « soumis »... Cela pourrait paraître humiliant, mais il est permis de s'y retrouver, dans la liberté d'un regard sur Jésus « doux et humble de cœur » dont beaucoup attendent que nous l'imitions de plus près.

En fait, on devrait aussi parler de tradition retrouvée grâce à ces valeurs authentiquement « monastiques » que l'autre peut nous restituer à travers ce qu'il en vit. À ce qui a déjà été mentionné plus haut, on peut ajouter le séjour au désert (même en ville, comme à Fès), une condition d'immigrés (et non de « colons »). Et puis le rappel qu'il s'agit d'une voie (une *Tariqâ*), impliquant une quête active et passive, une mystique du désir conduisant à l'union à Dieu et à l'unité pascale du genre humain accomplie dans le Christ, plus loin que notre complicité manifeste avec le péché et ses divisions. Pas étonnant que l'émulation spirituelle puisse être déjà un vrai lieu de rencontre dans l'évidence partagée d'être attirés vers la même direction, et l'humble aveu de rester à la traîne.

Votre présence de consacrés dans l'Algérie d'aujourd'hui vous paraît-elle : refusée ? subie ? acceptée ? recherchée ? par les Algériens que vous connaissez ? Avez-vous des témoignages personnels ? communautaires ?

Présence acceptée, nous en convenons tous, avec de très nombreux témoignages à la fois personnels et communautaires. Présence recherchée même par certains, de longue date, et pas forcément pour des motifs intéressés (assez souvent tout de même... médecin, miel, ou autre !).

Être ainsi admis, par les jeunes notamment, qui n'ont pas avec nous la même histoire de services rendus-reçus que leurs pères, nous étonne souvent, nous émeut même. C'est sans doute que nous faisons partie du paysage depuis longtemps. C'est aussi parce que nous sommes « religieux », au vu et au su de tous, et que cela compte dans la région. Pourtant les enfants, notamment, au-raient bien des raisons de trouver gênant ce corps étranger formé de quelques adultes plutôt vieux, perdus dans un grand espace vert interdit à leurs jeux !

Présence qui contribue peut-être à confirmer ces voisins qui nous connaissent bien dans leur islam. Un islam pourtant un peu différent, plus ouvert apparemment, faisant place davantage à une certaine pratique de ce qui nous tient à cœur. On n'entrera pas dans la chapelle, mais on aimera faire sa prière dans le parc, souhaiter aux frères : « Bonne prière ! » quand la cloche sonne, et fleurir la statue de la Vierge Marie...

Il y a aussi ceux qui gardent leurs distances, quitte à montrer à l'occasion quelque mépris nous reléguant dans la catégorie des *kouffâr* (apostats, NDE) plutôt que dans celle d'étrangers. C'est tout de même relativement rare, et le phénomène ne s'est pas accru à la faveur des durcissements de ces derniers mois, au contraire. En fait, on aurait plutôt le sentiment d'être « mieux compris » que ne le sont certains monastères dans leur environnement de vieille « chrétienté ». Et puis, il serait vain de chercher à être « compris »...

Laissons le mot de la fin à un jeune voisin très lié à nous et qui a le sentiment (avoué) de voir en nous « de vrais musulmans ». Sollicité de fournir une intention de prière pour un office, il répondait récemment : « Que le Dieu ouvre de plus en plus le cœur de tous au chemin étroit de la confiance ! »

Tibhirine,
1er janvier 1993.

Conférence du frère Christian
au chapitre général 1993

J'ai reçu l'invitation à vous parler un peu comme un piège ! D'abord, j'aurais préféré laisser la parole à notre abbé général... Et puis, il me fallait traiter de l'« identité contemplative cistercienne » ; et, pour le dire tout net, je n'aime pas beaucoup cette expression. D'après les documents qui nous ont été proposés aux quatre points cardinaux de l'Ordre, avec tant de science et d'ouverture, je crois n'être pas seul à m'interroger sur cette formulation. Vous dire pourquoi elle me paraît ambiguë ? D'abord, parce qu'elle peut laisser sous-entendre que la contemplation se donnerait à posséder comme une identité, comme un état stable. Or, à mon sens, la contemplation est de l'ordre de la recherche, ou elle n'est pas. Elle implique ici-bas une démarche, une tension, un exode permanent. C'est l'invitation faite à Abraham : « Marche en ma présence [1] ! » J'essaie

_____
1. Gn 17, 1. *Cf.* Dom Frans, document préparatoire, p. 4.

donc de marcher, et j'avoue que cette marche creuse ma faim de « voir » la Présence plus qu'elle ne la rassasie. C'est le lieu (en Espagne !) de laisser saint Jean de la Croix me consoler : « Tous ceux qui s'exercent sérieusement dans le chemin de l'esprit ne sont pas élevés par Dieu à la contemplation. Non, pas même la moitié d'entre eux. Lui seul en sait la raison [1]. »

De plus, il y a cette sagesse qui fait dire à la mystique musulmane : « Il n'est pas vraiment soufi, celui qui se déclare soufi. » De même, serait-il vraiment contemplatif, celui qui s'affirmerait tel ? Il faudrait pouvoir assurer, lui, l'avoir toujours reconnu au passage, ou encore l'avoir vu quand il était là, nu, malade, affamé... de ceux dont on détourne les yeux pour ne pas les regarder [2].

Et puis, tant que je suis en chemin, je ne suis plus en conflit d'identité : Est-ce moi qui vis ? Est-ce le Christ en moi [3] ? J'aspire à cette identité nouvelle : « le nom de l'Agneau sur moi, et celui du Père [4] ». Si mon identité me préoccupe encore, c'est qu'il me manque la claire vision de celui qui me la donnera en se donnant lui-même à voir : « Quand tu es là, je ne sais plus que j'existe », dit l'amant à l'Aimé.

---

1. Saint Jean de la Croix, *La nuit obscure*, ch. 9.
2. Mt 25, 35 ss ; Is 53, 3.
3. *Cf.* Ga 2, 20.
4. Ap 3, 12.

« Horizon cistercien », propose le frère Josaphat [1], ou « dimension contemplative cistercienne ». C'est mieux ainsi. Cela rejoint *Perfectae caritatis* [2] et le code [3] qui parlent « d'instituts plus ou moins intégralement ordonnés à la contemplation ». Être ordonné à... c'est aussi accepter d'avance qu'on n'y est pas. « J'ai été saisi, dit Paul, mais je n'ai pas saisi moi-même, je cours encore [4]... » Bien sûr, cela a du sens pour moi, comme pour chacun de nous, de pouvoir vérifier que notre Ordre reste ordonné, et donc capable de tenir en éveil mon désir de voir Dieu, toujours menacé de clignotement. Notre Augustin dit bien : « Tu nous as fait vers toi (*ad Te*), Seigneur... *et inquietum cor nostrum donec requiescat in Te* [5]. » Cette *inquies* fait partie de mon identité autant que la *quies* – le repos de Dieu –, chère à nos pères et à nos constitutions [6].

Au cas où vous souhaiteriez m'identifier plus précisément malgré tout, interrogez donc notre voisin. Pour lui, qui suis-je ? Cistercien ? Connaît pas ! Trappiste ? Encore moins. Moine ? Même le mot arabe qui dit la chose n'est pas de son répertoire. D'ailleurs, lui ne se demande pas qui je

---

1. Frère Josaphat (Victoria, Kenya) : document préparatoire, p. 37.
2. N° 7.
3. CIC can. 674 ; *cf.* constitution 2.
4. Ph 3, 12 ss.
5. Saint Augustin, *Confessions*, I, 1.
6. Constitution 20, notamment.

suis. Il le sait. Je suis un *roumi*, un chrétien. Voilà tout. Et il y a dans cette identification générique quelque chose de sain et d'exigeant. Une façon comme une autre de rattacher la profession monastique au baptême. Vous verrez aussi qu'en précisant il ne pourra traduire cette réalité que selon ses propres repères religieux : « Il fait la prière, il croit en Dieu, il fait carême et donne aux pauvres... c'est presque comme nous ! » Ainsi, après avoir été fort bien accueilli par plusieurs monastères en France, notre jeune ami Mohammed me disait : « Tu sais, là-bas, j'ai rencontré de vrais musulmans ! »

Quand j'étais novice à l'Atlas, j'ai vu un de nos frères, convers par conviction, figé à la fenêtre au soir d'une journée harassante. Il contemplait le coucher du soleil. Pourtant je le sentais exténué, et même excédé. Le spectacle était magnifique, il est vrai. Et moi, derrière lui, j'admirais tout autant qu'après vingt-cinq années de présence on sache encore admirer un coucher de soleil, au même endroit que tant d'autres jours. À la fin, il s'est retourné et a dit simplement : « On attendra celui de demain soir pour foutre le camp ! » En un éclair, j'ai compris ce qu'était la stabilité, et bien d'autres choses encore de la vie monastique. J'ajoute que ce frère est toujours là, grâce à Dieu, et qu'il lui arrive encore de s'arrêter à la fenêtre, avec ou sans moi. Au fond, je n'ai rien de plus que cela à vous dire sur l'identité contemplative cistercienne...

J'en reviens à mon idée de laisser la parole à notre frère Bernardo. Ce sera pour avouer que le « oui » répondu à sa demande n'était pas sans arrière-pensée. Rien ne s'oppose en effet à ce que je reprenne ici pour vous ce que notre abbé général nous a dit, à Fès comme à Tibhirine, lors de la visite qu'il a effectuée, ici et là, en juin 1991. Il débarquait sur le sol africain avec, nous disait-il, « une intense curiosité ». Pour l'accueillir sur le continent, nous avions un authentique autochtone à Fès, notre frère Pierre (Faye), dont la course devait s'achever le 2 février suivant. Comment n'aurait-on pas été séduit par ce beau visage de chercheur de Dieu, témoin vivant d'une âme africaine forgée pour la contemplation bien avant ce milieu du xxᵉ siècle où notre Ordre découvrit l'Afrique noire, et sans doute bien avant l'arrivée des premiers missionnaires de l'Évangile au Sénégal où il était né ?

Vous dire donc que frère Bernardo a beaucoup regardé, beaucoup écouté, tout partagé avec nous, y compris l'accueil des voisins, y compris le trajet de mille kilomètres environ d'un pays à l'autre en 4L Renault avec passage de frontières le jour où s'instaurait l'état d'urgence en Algérie...

Et puis, un matin, il nous a déclaré : « Cette nuit, j'ai fait un songe ! » (Il semble qu'on rêve beaucoup plus en Amérique latine qu'en Europe. On rêve aussi très souvent au Maghreb, un peu comme dans la Bible.) Dans ce songe, notre abbé général avait vu un moine de l'Atlas aux prises avec un frère de l'Ordre qui le tenait à la gorge en le sermonnant durement. Il disait :

« Primo, tu perds ta vie face à ce monde musulman qui ne te demande rien et se moque bien de toi, alors qu'il y a tant à faire ailleurs, tant de peuples qui n'attendent que ton témoignage pour accéder à la vie contemplative et venir grossir ta communauté... Secundo, pauvre de toi, notre Ordre n'a vraiment que faire d'une fondation comme la tienne ; quel poids mort ! »

Curieusement, dans ce songe, c'est frère Bernardo qui donnait la réplique : le malheureux frère de l'Atlas était sans doute bien trop empoigné pour pouvoir s'exprimer lui-même. Alors s'arrête le songe ; l'abbé général s'éveille ; il prend tout aussitôt un papier pour consigner ses réponses. C'est ainsi qu'il pouvait nous les présenter au matin, encore toutes chargées de l'émotion du combat nocturne.

Quant à la question de savoir quelle peut bien être l'utilité pour l'Ordre d'une implantation comme la nôtre, il est évident que nous n'aurions pas songé nous-mêmes à la poser. Nous sommes une si petite chose ! Plus profondément, nous avons forte conscience qu'aucun monastère ne saurait se suffire d'une raison d'être qui lui viendrait de l'Ordre. Ce qui est premier, c'est l'appel de Dieu qui provoque à naître en communauté, ici et maintenant. Et Cîteaux, comme l'antique Jérusalem, s'étonne et s'émerveille : « Ces nouveaux arrivés, qui me les a enfantés ?... avant même d'être en travail, j'ai donné naissance [1] !... » Les plus anciens se souviennent du temps où, à la suite de l'indépendance de l'Algérie, notre survie paraissait une gageure, voire un contresens, pour reprendre le terme, d'ailleurs pas si vieux, d'un abbé de notre région. Dom Gabriel Sortais, dont la clairvoyance était bien connue, répondait à un de nos frères : « L'Ordre ne peut se payer le luxe d'un monastère en monde musulman. » De fait, il y avait là un cas. Et nous avons le sentiment que nous resterons insolites tant que notre Ordre n'aura pas d'autre maison en milieu strictement non chrétien et appelé vraisemblablement à le demeurer. Toutes nos fondations récentes, en effet, y compris en Inde, s'appuient sur un noyau ecclésial susceptible de fournir des vocations autochtones. Lors de sa fondation, en 1934, notre monastère pouvait compter sur la minorité chrétienne constituée par un million de colons, de même que son aîné, Staoueli, la toute première fondation cistercienne sur le continent africain en 1843 (tout juste 150 ans). Notre communauté sait qu'elle ne peut se recruter sur place. C'est même là son contresens. Il lui faut croire que l'Esprit saint est capable de lui susciter des vocations venant d'ailleurs, pour correspondre à ce qu'il attend de sa présence singulière. Cette confiance est plus aisée quand nous constatons que pour la

---

1. Is 49, 21 ; 66, 7.

plupart, maintenant, nous avons répondu à un appel personnel de cette sorte, même s'il y a eu souvent une étape intermédiaire dans un autre monastère de l'Ordre. Je saisis volontiers l'occasion de remercier encore ici ces communautés qui ont généreusement accepté de reconnaître et de respecter le surcroît d'appel qui tendait vers nous l'un des leurs.

D'une part, cette absence de vocations originaires du pays nous met quasiment tous en situation d'immigrés, et dans ce Maghreb où l'immigration vers l'Europe est si forte. Imaginez l'étonnement des jeunes qui nous fréquentent lorsqu'ils réalisent que nous avons fait le chemin inverse de celui dont ils rêvent ! Une façon comme une autre de suggérer une piste pour un « nouvel ordre économique international » dont on voit mal qu'il puisse naître viable s'il n'est conçu par tous. Plus directement, on pourrait s'interroger sur la façon dont le monachisme doit se laisser interpeller par l'urgence d'un dialogue humanitaire Nord-Sud. Je vois là un authentique défi que le monde actuel nous adresse, et aussi une façon de nous situer plus concrètement face à ce qu'il est convenu d'appeler « jeunes Églises ». Celles-ci me paraissent bien se définir surtout par leur degré d'appartenance à ce qui reste malgré tout un tiers-monde. (À titre d'exemple : Nous gagnons notre vie par le travail, mais la monnaie locale qui sert à rétribuer ce travail ne nous est d'aucune utilité s'il nous faut acheter des livres ou des pièces détachées indispensables à l'exercice de notre profession, et introuvables sur place, sans parler de la couverture sociale à assurer...)

D'autre part, cette particularité qui est nôtre nous amène inévitablement à « moduler » certaines constantes du charisme cistercien en fonction de notre environnement : association dans le travail, et non pas simple salariat ; clôture et ouverture, en perpétuelle recherche d'un juste équilibre dans nos relations avec le voisinage ; interpellation au niveau des expressions de la prière et de la vie de foi pour rejoindre, quand faire se peut, ce qui se pratique en fidélité musulmane. Ainsi, au temps du ramadan ou à l'occasion des fêtes, il y a sûrement un bout de chemin à faire ensemble. Peu d'arabe dans notre liturgie, mais notre intercession des Heures ou de l'Eucharistie, notamment le vendredi, portent la marque d'une forme plus spirituelle de convivialité. Cloche et muezzin, dont les appels à la prière s'élèvent (vous le savez) du même enclos, font cause commune pour nous convier ensemble à la louange, plus loin que ce que les mots peuvent en dire. La prière rituelle du musulman est brève ; elle mobilise le corps ; elle sollicite toute l'attention vers l'Unique de toute vie ; elle se dit par cœur ; elle ressemble si fort à l'office des anciens convers. Certains parmi nous aimeraient sûrement que notre office retrouve un peu de cette simplicité dépouillée, sans rien perdre de sa vocation à être prière d'Église.

Or père Bernardo nous disait : « Vous avez la mission d'inculturer le charisme cistercien afin que les manifestations de ce monachisme puissent s'enrichir de ce que vous aurez glané dans la culture locale. » Et il ajoutait lucidement : « Cette inculturation peut provoquer une réaction de peur, celle de perdre votre identité monastique. Pour ne pas éprouver cette peur, ou pour s'en libérer, la première chose à faire est d'approfondir votre culture monastique. » Avec les moyens limités qui sont les nôtres, c'est un peu à cela que nous nous essayons. Nous découvrons alors que la fidélité exigeante de l'autre nous est un don de Dieu, et donc un objet de contemplation susceptible de nous inspirer des formes nouvelles de communion.

En ce sens, il nous reviendrait de présenter comme un autre défi bien réel du monde actuel l'urgence faite aux religions d'apprendre à dialoguer au chemin même des expériences spirituelles qu'elles éveillent, et tout aussi bien à se retrouver ensemble, appelées à l'humilité et totalement dépendantes du pardon de Dieu, au regard de la réponse si frileuse, parfois même si honteuse, que le croyant, moine y compris, donne effectivement aux exigences les plus intérieures de son Seigneur. Dans la pratique, le dialogue interreligieux monastique avec l'islam n'est guère engagé. Peu le croient possible. Déjà on est allé beaucoup plus loin avec les religions extrême-orientales. Dans son document si riche de perspectives, Dom Frans présente ce dialogue comme l'axe de réflexion des Églises d'Asie [1]. S'il fallait le suivre dans sa proposition de « congrès continentaux » pour l'Ordre, notre cœur serait tenté de battre avec l'Asie (où l'islam est né), mais nos pieds sont bien enracinés en Afrique, et nous avons la tête préfabriquée en Europe. De quoi mettre à l'épreuve l'imagination de l'Ordre dans son propos de structures mieux ajustées. Avec Latroun (Israël), nous pourrions former un sous-continent !

Est-ce un autre défi qui s'est offert à nous ? En 1990, cette démarche insolite d'une communauté d'anciens malades de la drogue et/ou de l'alcool sollicitant l'un des nôtres pour une présence de prière gratuite susceptible, à leurs yeux, de soutenir leur détermination si fragile à s'en sortir, avec la grâce de Dieu. La prière communautaire matin et soir, et le travail pour vivre sont les deux options clés de Berdine (France). *Ora et labora !* Il nous a semblé que nous n'avions pas de leçons à donner, et que nous devions nous mettre dans la situation d'en recevoir. C'est ainsi que nous avons cru pouvoir nous engager dans un jumelage qui établit entre nous communion et va-et-vient.

Reste la question de fond : « Tu perds ton temps, disait notre agresseur nocturne, tant de

---

1. Dom Frans (Rawaseneng, Indonésie) : document préparatoire, p. 2.

peuples attendent ailleurs ton témoignage... » Et père Bernardo lui répondait : « Leur mission, c'est une présence, silencieuse, vivante et vitale, celle de Jésus, celle de l'Évangile. C'est aussi un accueil du cœur pour le frère musulman, afin d'être soi-même meilleur chrétien. Car c'est dans cette ouverture à l'islam que s'apprendra leur façon d'être chrétiens ici et maintenant. Inutile de chercher la réciprocité. Ne pas l'attendre pour continuer de s'ouvrir ; ça serait contraire à la gratuité de l'amour. Si elle se présente, ils rendront grâce à celui qui la permet et la donne... Bien sûr qu'il leur faut apprendre quelque chose du monde musulman, car il a des valeurs culturelles et religieuses qui leur sont destinées. Et puis, ils peuvent contribuer à éveiller et motiver la dimension contemplative qui se trouve au cœur de chaque musulman... »

En fait, nous voyons bien que l'Esprit saint peut susciter au cœur de bien des musulmans que nous connaissons un comportement de charité tel celui du Samaritain de la parabole, et dont Jésus nous dirait encore : « Fais cela, et tu vivras [1] ! » Nous voyons aussi que la tradition musulmane sait communiquer le désir contagieux de la vision de Dieu : « Tout périt sauf la face de Dieu », dit un verset coranique [2].

---

1. *Cf.* Lc 10, 37.
2. Coran 28, 88.

On peut même dire que toutes les perspectives de la rencontre sont bouleversées quand il est donné au chrétien que je suis de faire une authentique expérience spirituelle à travers ce que l'autre a reçu en propre pour entretenir en lui le goût de Dieu : appel à la prière, exclamation « jaculatoire », geste de partage, réponse lumineuse, visage pacifié d'un homme de foi, verset coranique, évidemment, puisque je crois possible une véritable « lectio divina » du Coran, en langue arabe surtout, si proche du milieu originel de nos Écritures. Il est toujours un peu douloureux de voir un homme de prière et de vie intérieure s'arrêter aux énoncés de la foi dans son dialogue avec l'autre, et buter sur l'opacité de leurs incompatibilités, sans parvenir à chercher l'autre dans les hauteurs ou les profondeurs où l'engage la droiture de sa disponibilité au travail de l'Esprit, en lui et au creuset de l'islam. La première fois qu'une communauté soufie du voisinage a demandé à nous rencontrer – c'était à Noël 1979 –, son porte-parole avait bien pris soin de préciser que c'était pour un partage de prière qu'ils désiraient nous retrouver. « Nous ne voulons pas, disait-il, nous engager avec vous dans un dialogue théologique, car souvent il a dressé des barrières qui sont le fait des hommes. Or nous nous sentons appelés par Dieu à l'unité. Il nous faut donc laisser Dieu inventer entre nous quelque chose de nouveau. Cela ne peut se faire que dans la prière. » Il ajoutait : « Il n'y a qu'un très petit nombre de musulmans qui pourraient comprendre. Sans doute aussi, un très petit nombre de chrétiens pour y croire. Mais c'est cela que nous nous sommes sentis appelés à faire avec vous. » C'est un cas exceptionnel, direz-vous ! Peut-être, mais cette expérience existe, et elle n'est pas isolée. Elle m'aide à ne pas figer le musulman dans l'idée que je m'en fais, ou qu'on m'en donne, ni même dans ce qu'il peut dire de lui actuellement, majoritairement. Le moine ne serait-il pas un « vrai » chrétien sous le seul prétexte qu'il est plutôt rare en chrétienté ?

« L'Algérie vous aide-t-elle à vivre votre consécration, et si oui, en quoi ? », nous demandaient récemment nos évêques pour préparer la réponse de notre Église aux *Lineamenta* proposés pour le synode de 1994 sur la vie consacrée. Si la *consideratio*, chère à saint Bernard, peut être interprétée, à la façon de notre père Charles Dumont dans son document, comme une « réflexion sur l'expérience d'existence concrète [1] », c'est bien à cela que cette question nous a provoqués, en communauté, et c'est peut-être bien cela que vous attendez encore de moi...

Eh bien oui, cela nous aide de nous sentir insérés dans un tissu compact d'humanité, et

---

1. Père Charles Dumont (Scourmont, Belgique) : document préparatoire, p. 25.

pourtant « séparés », « dans ce monde-là, et pas de ce monde-là », ni notables, ni références utiles. On est préservés ici de toute « mondanité » !

Cela nous aide d'être contraints à rester petits et dépendants, sans aucune prise sur l'évolution du pays. Et d'être tenus de correspondre à notre « raison sociale » officielle qui est de prière et de travail agricole pour vivre. Et d'avoir sous les yeux le comportement de nos voisins qui est globalement celui de gens modestes et religieux. Ça serait plus scandaleux de mal nous prêter à notre vocation dans un tel contexte. Ils savent pratiquer le partage. La relation et l'hospitalité comptent beaucoup pour eux. Nous nous y exerçons aussi, en recevant souvent des leçons... Nous les accompagnons dans la situation d'insécurité et de grand désarroi que traverse le pays actuellement. « Comment pouvez-vous vivre dans une maison aussi incertaine ? » interrogeait une religieuse. Mais, plus encore, comment pourrait-on rester contemplatif dans une maison trop certaine, trop *benefundata* ? Au début de l'Ordre, on a bien quitté une maison stable et cossue, à Molesme, pour un désert appelé Cîteaux « fréquenté par les bêtes sauvages [1] »...

Cela nous aide, je l'ai assez dit déjà, d'être confronté en tout à l'omniprésence de l'affirmation musulmane. Comment allons-nous la respecter, sans exclure a priori, sans inclure

---

1. Petit Exorde 3, 2.

indûment ? Elle dit Dieu partout : il y a là comme un microclimat qui libère la foi de tout respect humain ou fausse réserve. Et puis il y a ces valeurs que véhicule la tradition musulmane et qu'on s'attend d'ordinaire à trouver chez des moines : prière rituelle, prière du cœur (*dhikr*), jeûne, veilles, aumône, sens de la louange et du pardon de Dieu, foi nue en la gloire du Tout-Autre, et en la « communion des saints ». Ce dernier mystère, essentiel pour nous, indique bien le lieu de la rencontre, mais sans donner prise sur le chemin qui y conduit. C'est à l'Esprit de Jésus de faire son travail entre nous, et j'ai le sentiment que pour cela il se sert de nos différences, y compris de celles qui nous heurtent davantage. Dans la prière côte à côte, longuement vécue avec nos amis soufis, notamment, nous nous rappelons que nous nous sommes engagés sur une voie (une *Tarîqâ*), ordonnés ensemble à une quête active et passive, dans une mystique du désir conduisant à l'union à Dieu. L'émulation spirituelle devient alors mutuelle charité ; et c'est l'évidence partagée d'être attirés vers la même direction ; c'est aussi l'humble aveu de rester à la traîne, les uns et les autres.

Et puis cela nous aide beaucoup de nous savoir intégrés dans une Église locale constituée de personnes qui ont des visages, dont les choix rejoignent les nôtres. Dans des conditions d'existence souvent plus difficiles que les nôtres, la plupart des permanents chrétiens ont eu à s'ancrer davantage dans la foi et la prière pour pouvoir tenir sereinement, et gratuitement. Notre accueil à l'hôtellerie porte fort la marque de ce besoin vital d'un ressourcement spirituel régulier. Nous nous sentons le devoir d'y être plus disponibles. Paul VI nous appelait, comme cisterciens, à « l'apostolat de la vie cachée [1] ». Cette vocation nous tient secrètement très proches des quelques centaines de chrétiens algériens qui doivent associer l'Évangile et la vie cachée en restant dans la mêlée.

Il y a quelques années, dans une très belle lettre pastorale, nos évêques du Maghreb avaient invité leurs fidèles à « accueillir ce qui naît dans les Églises de la région [2] ». Nous pourrions oublier, en effet, que notre identité chrétienne est toujours plus ou moins en train de naître. C'est une identité pascale. Comment n'en serait-il pas de même de ce que nous appelons notre « identité cistercienne » ? Celle-ci serait-elle encore de l'ordre de la contemplation si elle craignait d'affronter des horizons nouveaux ? Ceux de la modernité, évidemment, mais tout aussi bien ceux de la quête de Dieu hors des sentiers battus de chrétienté. Et si cette dernière année achève de

1. Paul VI : *cf.* Documents capitulaires OCSO, 1967-1977 ; ou *DC* 1969, n° 1540, p. 452 ss.
2. Lettre des évêques d'Afrique du Nord sur les situations nouvelles dans leurs Églises, *DC* n° 1724 du 17 juillet 1977.

mourir, n'est-ce pas pour laisser naître une humanité nouvelle qui aura besoin de notre regard confiant et compréhensif pour contribuer à son propre enfantement ?

« Tournés vers l'avenir, disaient encore nos évêques dans un autre document important, nous attendons les élargissements prodigieux de notre regard sur l'homme et sur Jésus qui naîtront de l'interaction entre les cultures chrétiennes actuelles et les questions posées par les hommes des autres traditions de l'humanité [1]. » Dans cette perspective, il pourra devenir évident qu'il n'est plus possible d'installer quelque part un monastère tout construit d'avance, car, plus que toute autre, la vie contemplative se découvre dépendante des conditions « humaines » de vie d'un pays, de sa culture, de son histoire, de ses habitudes, de sa tradition religieuse. Ce point de vue, développé notamment par le père Raguin à partir de son expérience extrême-orientale [2], nous en vérifions concrètement l'intuition, et les exigences, jour après jour en quelque sorte.

Face à un monde envahi par l'athéisme théorique et plus encore pratique, le moine va s'étonner de pouvoir rester fidèle à lui-même, en se découvrant « expert en athéisme » selon

---

1. « Chrétiens au Maghreb : le sens de nos rencontres », Lettre des évêques d'Afrique du Nord, *DC* n° 1775 du 2 décembre 1979.
2. Père Yves Raguin : *cf.* notamment « La profondeur de l'homme, chemin vers Dieu » in *Spiritus 47* (1971), p. 385.

l'expression, si fondée en tradition, de Dom André Louf. De même, face aux nouvelles invasions de l'islam, il est bon que le moine s'éprouve comme « expert en islam » parce que voué à cette soumission à Dieu exemplaire qu'est l'obéissance amoureuse du Fils au Père. En ce sens, Jésus est bien le seul « musulman ». Et c'est ainsi que je le vois désormais, transfigurant ce qui se cherche de lui, dans un va-et-vient entre nous et nos voisins, là où son appel nous a enfouis pour être les témoins du Royaume qui naît... « mais, c'est de nuit » !

Poyo, Espagne, 1993.

Carême et ramadam
Attendons-nous un autre rendez-vous ?
Février 1993

Du mardi, premier (ou deuxième) jour du ramadan, au lendemain, mercredi des Cendres, il y a cette année une belle harmonie entre le début du jeûne musulman et celui du carême. Ceci pour des raisons de calendrier faciles à comprendre puisque, avec notre cycle pascal, nous sommes en économie lunaire comme le sont toutes les célébrations de l'islam. Notre dimanche de Pâques est lié à la pleine lune de printemps. Il n'y aura donc jamais coïncidence avec l'Aïd el-Fitr qui clôt le mois du ramadan.

Par contre, durant trois années consécutives, ce dernier va commencer environ un mois et demi (lunaire) avant la Semaine sainte, soit à peu près en même temps que le carême. C'était déjà le cas l'an dernier, et ça le restera l'an prochain. Puis, selon la même logique chronologique, durant les trois années suivantes, le carême prendra la suite du ramadan.

L'occasion est belle de s'attarder un peu à cette occurrence, ne serait-ce que pour mieux préciser les limites de la concurrence. Le ramadan n'est pas le carême, et vice versa. En fait, il n'est même pas sûr que l'un et l'autre sortent grandis de leur synchronisation. On a vite fait de ne voir que les marques de dérive, qui ne sont pas exactement les mêmes de part et d'autre.

Certains diront que le « jeûne » du carême n'en est pas un dès lors qu'il n'est pas abstinence complète durant la journée. Certains, parfois les mêmes, diront aussi que la rupture du jeûne chaque soir, avec les débordements alimentaires qu'elle entraîne souvent dans le ramadan, enlève au temps sa valeur d'épreuve dans la durée : un mois, peut-être, mais ce mois est cassé tous les soirs. Oui, le jeûne est profitable au corps comme à l'esprit, mais à condition de ne pas soumettre l'estomac à un simple changement d'horaire, avec ce que cela provoque comme décalage dans le sommeil, et comme lourdeurs supplémentaires pour le travail et la vie en société. Oui, les chrétiens, au moins en Occident, ont perdu la notion du jeûne, et même de la simple abstinence, au point de se la voir confisquée par des cures onéreuses ou des grèves de la faim. Lesquelles ne sont spectaculaires, et parfois efficaces, qu'en milieu nanti et économiquement protégé (sauf notoriété publique à la taille d'un Gandhi). Irait-on en faire réclame au Soudan ou en Somalie en ces jours de sécheresse et de grande détresse ? De même, quel enseignement irait-on donner sur le carême ou le ramadan aux enfants de ces pays ou d'ailleurs qui « quémandent leur pain à tous les coins de rues, sans personne pour en donner » (Lm 2, 11 ss) ?

Une première sagesse du jeûne, chrétien ou musulman, serait bien de nous conduire à l'écoute de ces petits, car ils sont nos juges. S'ils l'ignorent, Dieu le sait :

« Vois-tu celui qui nie le jugement ?
C'est celui qui repousse l'orphelin
Et n'incite pas à nourrir le pauvre » (Coran 107).

C'est justice que de se retrouver ensemble et sans gloire aux côtés des plus démunis quand il s'agit de cheminer un moment en situation de manque. On s'abstient pour partager. Et bénies soient les organisations qui acceptent d'être les relais avertis de ces petits pas gratuits vers un « nouvel équilibre » !

Car il nous est impossible, aux uns comme aux autres, de nous croire en règle avec Dieu par la simple observance scrupuleuse d'exigences rituelles :

« Malheur à ceux qui font la prière
sans se soucier de la prière
mais seulement par ostentation,
et qui refusent d'aider » (Coran 107).

« Quel est donc le jeûne qui me plaît ? » Chez Isaïe, Dieu répond lui-même à la question qu'il pose. C'est plus sûr. Et c'est clair :

« N'est-ce pas partager ton pain avec qui a faim, recueillir chez toi le malheureux sans abri, couvrir celui que tu vois sans vêtement, ne pas te dérober à ton semblable ? » (Is 58, 6-9).

Jésus achève de donner sens à ce partage en l'instituant comme une fête : « Mon frère, j'ai désiré d'un grand désir prendre cette Pâque avec toi. Ceci est mon pain... qu'il devienne force de ton corps qui est mien. Ceci est un peu de ma sueur qui vient se mêler à ton sang. Tu es la chair de ma chair... » N'y a-t-il pas aussi quelque chose comme cela dans l'aumône et l'hospitalité qui marquent la rupture du jeûne les soirs de ramadan ?

Rivalisez en œuvres bonnes ! (Coran 5, 48). L'émulation préconisée par le Coran trouve ainsi un temps privilégié quand ramadan et carême s'accompagnent mutuellement. Mais, pour revenir ensemble à leur cœur qui leur rappelle que « l'homme ne vit pas seulement de pain », chrétiens et musulmans savent qu'il leur faut se mettre à l'écoute de ce Dieu qui est là, au milieu d'eux, comme une parole donnée. On ne peut engager tout son amour dans le jeûne sans ce viatique. On risquerait de défaillir en chemin.

Récitation du Coran ou retour à l'Évangile mieux lu et mieux vécu, manne du jour pour remplacer le repas ou pour assaisonner un menu plus austère. Effort de prière personnelle et de maîtrise de soi, patiemment repris avec la conscience heureuse d'être sustenté par la seule miséricorde de Dieu, à la table commune des pécheurs.

Je sais aussi des sœurs et des frères qui, s'associant à la démarche de jeûne propre au ramadan, ont découvert l'eucharistie. Quand ils le peuvent, ils célèbrent celle-ci au milieu du jour, lui donnant toute la place du repas de midi, de telle manière qu'elle soit vraiment « le pain de ce jour », nourriture unique et vivifiante du corps comme de l'esprit. Il est clair que, selon la lettre de la tradition rituelle musulmane, ils ne font pas le ramadan puisque la communion suffit à « casser le jeûne », selon l'expression consacrée. Pour autant ils sont proches de ces croyants de l'islam qui s'efforcent de savourer la Parole et la Présence de Dieu tout au long du jour. Et ils s'exposent à l'étonnement de découvrir tout le réalisme de cette nourriture et de cette boisson que nous serions portés à considérer comme purement symboliques. Dans la foi, ils prennent au mot celui qui se livre à nous comme « le vrai pain des forts ». Le ramadan aura été pour eux le canal providentiel de ce surcroît de confiance. Impossible ensuite de ne pas vivre toute eucharistie un peu différemment. Certaines fois, on préfèrera jeûner tout le jour et rompre le jeûne, le soir venu, en communiant au « festin du royaume ». Une façon exigeante de remettre en valeur la tradition ancienne du jeûne eucharistique.

Dans l'idéal, on pourrait ainsi imaginer tout un peuple qui se rejoint au désert, comme pour une longue retraite, la même aventure de mort et de vie, de conversion et de réconciliation, les uns d'oasis en oasis, les autres tournés vers le Christ marchant résolument vers la Terre promise. Les uns et les autres tendus vers l'au-delà des nécessités du monde par l'« allégresse d'un désir spirituel » (règle de saint Benoît) qui ferait d'eux, pour le monde, les témoins convaincants de l'immense gratuité de la vie, ce don de Dieu sans repentance. Et la fête qui les convoque au terme du passage est une fête pour tous : « Venez, les bénis de mon Père ! » La croix en ouvre le festin. N'est-ce pas mon ami Mohammed qui me disait un jour : « Le ramadan ? Tu veux savoir ? C'est un cadeau de Dieu pour nous attirer à Lui ! » Et il ajoutait : « Les cadeaux de Dieu ne sont pas toujours faciles. » « Élevé de terre, j'attirerai tout à moi » (Jn 12, 32) : cette parole de Jésus donne sens plénier à notre carême. Ici et là, le secret d'un attrait...

Jeûne, carême ou ramadan, un Dieu unique nous invite, chrétiens, musulmans et juifs, au passage comme au partage, avec lui et avec la multitude. Rendez-vous donné, cette année, sur la ligne « Départ ». Sans doute nous ne courons pas de la même manière, mais le chemin est là qui n'est pas de nous, et il est tellement plus grand que la course ! Attendrons-nous un autre rendez-vous... entre nous ?

Frère Christian de Chergé.
Texte de février 1993,
envoyé au journal *La Croix*,
mais parvenu trop tard pour être publié.

Fête de la Croix glorieuse
14 septembre 1993

La présidence et la parole de cette liturgie en l'honneur de la Croix glorieuse ont donc été confiées à des frères qui sont l'un et l'autre enfouis dans un milieu religieux où l'Évangile de la croix est communément rejeté : Latroun en Terre sainte, entre juifs et musulmans : l'Atlas, dans ce nord de l'Afrique qui est « maison de l'islam ».

Ici et là, que dire de la croix, scandale pour les juifs, blasphème pour les musulmans ? Latroun a choisi la meilleure part : être là-bas, près de Jérusalem, au plus près de la croix, avec Marie. Notre-Dame de toute compassion. C'est sous ce patronage que nos frères se sont placés. Il faudra nous en souvenir demain. Avec eux, nous retiendrons ce message premier pour qui veut parler de la croix : se tenir là, en silence, comme Marie, bras étendus pour tout offrir, joies et souffrances mêlées, pour tout accueillir, glaive et gloire à la fois. Tout cela qui fait de la croix le lieu de notre rencontre avec Jésus. *Cruci fac nos consortes*. C'est la devise de Latroun.

Car, si la croix nous ordonne à la contemplation, c'est bien parce qu'elle est d'abord pour nous, comme pour Jésus, un mystère de vie intérieure ; avant d'être ce signe sur nos poitrines ou nos autels, ce symbole dont la gloire dépendrait de notre hardiesse à le brandir en toute circonstance. Ils étaient aussi nos frères, ces moines qui arrivaient en Algérie, il y a tout juste 150 ans, et qui pensaient qu'il leur suffirait pour se faire comprendre, et peut-être convertir, d'ajouter la croix à la devise du colonisateur : *Ense et aratro*. Cela devint, sur le blason de Staoueli, *Ense, cruce et aratro* (par l'épée, la croix et la charrue). Non ! La gloire de la croix n'a rien à voir avec celle de l'épée, ni même avec celle de la charrue. L'homme, en effet, n'a pas été créé en forme d'épée, pas davantage en forme de charrue... ni même en forme de poteau comme le serpent qu'on a pu pendre au désert mais pas crucifier. La dignité de l'homme est d'être une croix, comme le constate saint Bernard [1], car il a bien la forme d'une croix, il est cruciforme : « Qu'il étende les mains, dit Bernard, et cela devient plus évident. » Là commence sa gloire. Là commence la croix glorieuse. Dès la création de l'homme à l'image de Dieu.

---

1. 4e sermon Vig. Nativité, 7.

– Et si nous parlions de la croix ? me demandait récemment un de nos amis soufis (dans la voiture qui nous ramenait tous deux du Maroc où il avait voulu faire retraite auprès de nos frères de Fès). Si nous parlions de la croix ?

– Laquelle ? lui demandai-je.

– La croix de Jésus, évidemment.

– Oui, mais laquelle ? Quand tu regardes une image de Jésus en croix, combien vois-tu de croix ?

Il hésitait.

– Peut-être trois... sûrement deux. Il y a celle de devant et celle de derrière.

– Et quelle est celle qui vient de Dieu ?

– Celle de devant... disait-il.

– Et quelle est celle qui vient des hommes ?

– Celle de derrière...

– Et quelle est la plus ancienne ?

– Celle de devant... C'est que les hommes n'ont pu inventer l'autre que parce que Dieu d'abord avait créé la première.

– Et quel est le sens de cette croix de devant, de cet homme aux mains étendues ?

– Quand j'étends les bras, disait-il, c'est pour embrasser, c'est pour aimer.

– Et l'autre ? C'est l'instrument de l'amour travesti, défiguré, de la haine figeant dans la mort le geste de la vie.

Nous pouvions en venir aux versets coraniques (Coran 4, 156-159) qui parlent de la mort de Jésus. Ces versets, c'est la croix des exégètes musulmans. « Ils (les juifs) ne l'ont pas tué en certitude... » Cela, c'est clair : par la mort, même la plus infamante, la vie n'est pas ôtée, elle est transformée. « Ils ne l'ont pas crucifié en vérité... » Oui, car c'est librement qu'il étendit les bras à l'heure de sa passion ; c'est l'amour, et non les clous, qui le tenait fixé à ce gibet que nous lui avions taillé. Et c'est l'amour encore qui nous attirait vers lui lorsqu'il pardonnait à ses bourreaux.

L'ami soufi avait dit : « Peut-être trois ? » Cette troisième croix, n'était-ce pas moi, n'était-ce pas lui, dans cet effort qui nous portait, l'un et l'autre, à nous démarquer de la croix de « derrière », celle du mal et du péché, pour adhérer à celle de « devant », celle de l'amour vainqueur. N'est-ce pas aussi bien le juif Yitzhak Rabin et le musulman Yasser Arafat dans cette poignée de main bouleversante qu'ils se sont donnée, hier, avec le désir de renoncer enfin à l'épée et de s'essayer au travail pacifique de la charrue sur un même sol ?

Frères et sœurs, nous savons bien que ce passage de l'une à l'autre croix, c'est bien là notre chemin de croix et aussi notre chemin de gloire, car c'est par là que Jésus nous élève, avec lui, vers le Père qui nous attend tous, bras ouverts.

Homélie du frère Christian,
14 septembre 1993.

Veilleurs, où en sommes-nous de notre nuit ?
Décembre 1993

Nous nous sommes donc retrouvés sur ce thème qui nous accompagnait depuis toute une année... petit troupeau réduit par la crainte de s'engager sur des routes peu sûres, et aussi par les conséquences de ce mal de société qui dresse des hommes, des croyants, les uns contre les autres, au sein d'une même nation, et jusque dans les familles.

La nuit était donc là, elle aussi, à notre rencontre. Et nous ne savions pas trop s'il fallait l'identifier aux ténèbres où rôde le « séparateur » « cherchant qui dévorer » ou à ces heures de veille qui précèdent l'aurore et en portent l'espérance, sachant qu'avec elles le jour est déjà commencé.

N'est-ce pas à l'heure des Vêpres (prières du « couchant ») que s'ouvre l'aujourd'hui de demain dans les traditions sémites ?

Impossible de ne pas renaître à cette lumière quand s'annonce, au creux de la nuit, la naissance de l'enfant au cœur de paix : c'est bien la nuit que Dieu voit le jour.

Marchant à tâtons vers cette lumière, nous sommes repartis munis de cette prière tendue vers lui : « Dieu, viens à mon aide, Seigneur, à notre secours ! »

Impossible de l'oublier, ce cri, il ouvre chacun de nos offices : six fois le jour, et même encore la nuit, nous y revenons, nous tournant vers l'orient, le soleil au bout de la nuit : « Vers toi, à toi, nous demandons secours ! »

Et ce cri ne jaillit, ici et là, que parce qu'il se sait exaucé. L'enfant Emmanuel nous le garantit... mais c'est de nuit.

« Ô Dieu, c'est toi notre espérance sur le visage de tous les vivants. »

Nous nous sommes donc retrouvés, du 29 au 31 mars 1993 – petit troupeau, il est vrai – en notre lieu de référence, entre plaine et montagne. Peut-être pour être plus concrètement « lien de paix » – *Ribât es-Salâm* – offert aux frères de la plaine et de la montagne. Et pour être ainsi plus proches de l'Algérie profonde que chacun de nous, un jour, a rencontrée et avec laquelle nos vies ont fait alliance.

C'est donc là, dans le « creux du rocher », que notre thème s'est vécu plus intensément, comme une prière pour tous : « Tu es la paix, de toi vient la paix, fais-nous vivre dans la paix ! » Prière du Hajj, on le sait ; prière de tout pèlerinage vers l'unité que Dieu veut...

Un bien petit troupeau, donc, pour ce vaste dessein de paix !

Cet éditorial non signé, écrit par le frère Christian, est du début décembre 1993, juste après l'ultimatum aux étrangers, et se fait l'écho de cette marche dans la nuit du groupe du Ribât, mais aussi de la communauté de Tibhirine et de toute l'Église d'Algérie.

Chronologie des événements
5 janvier 1994

Janvier 1992

Interruption du processus électoral qui conduisait à la victoire du FIS. Une instance politique provisoire assume le pouvoir (HCE : Haut Comité d'État). Très vite, le FIS entre dans la clandestinité. Ses dirigeants sont arrêtés, des groupes armés se forment (souvent exercés en Afghanistan, Iran ou Soudan). Ils s'en prennent aux policiers, à certaines personnalités de la science et de la culture.

Octobre 1993

Trois agents consulaires français sont pris en otages. Relâchés, ils sont porteurs d'une menace précise du GIA destinée à tous les étrangers vivant en Algérie : ils ont un mois pour quitter le pays. Plusieurs ambassades prennent très au sérieux l'avertissement (Allemagne, Belgique, Grande-Bretagne...). La France ne veut pas risquer

« d'entrer en absence d'Algérie » mais conseille la prudence, etc.

17 novembre

Frère Christian est convoqué au cabinet du *wâli* (préfet). On lui propose une garde de police. Il refuse net toute présence armée. Il accepte seulement de ne plus ouvrir la nuit.

1er décembre

Expiration du délai accordé aux étrangers. Très vite, un Espagnol, un Français, une femme russe (mariage mixte), un Britannique... sont assassinés.

14 décembre

À la tombée de la nuit, quatorze (sur dix-neuf) ex-Yougoslaves (essentiellement croates) d'un chantier d'hydraulique, installés à Tamesguida (à 4 kilomètres à vol d'oiseau du monastère, sous nos fenêtres), sont égorgés par un commando évalué à cinquante personnes. Deux échappent miraculeusement au carnage. Les victimes ont été désignées parce que chrétiennes et croates, sans doute en lien avec le conflit actuel en Bosnie. Nous les recevions chaque année pour les nuits de Noël et de Pâques. C'est un vrai choc pour la communauté.

Note : Du 11 au 20 décembre, frère Christophe est à Fès, accompagné par Mohammed, le gardien, et un voisin dont la voiture a convoyé le trio, sans incident.

19 décembre

Frère Christian est à nouveau convoqué à la *wilaya* (préfecture). Entretien d'une heure dans le bureau du wali soucieux de prendre des mesures de sécurité pour protéger la communauté après le massacre de Tamesguida. Il suggère que nous « prenions des vacances en France » ; propose un repli sur un « hôtel protégé » de Médéa pour la nuit, aux frais de la wilaya ; encore, des armes, etc. Moyens peu ajustés, à l'état religieux notamment. Sentiment que le danger ne serait pas moindre ; que tout départ provisoire dans ces conditions risquerait d'être sans retour possible ; que le voisinage ne comprendrait pas. On convient d'améliorer la ligne téléphonique (nouveau numéro installé dès le jour même) et d'être attentifs aux indications venant du climat environnant.

Sans beaucoup d'illusions, on verrouille davantage et plus tôt. On a conscience aussi de vivre des conditions assez exceptionnelles de *conversatio* monastique. On est d'accord pour éviter ce que le wali a appelé un « suicide collectif ».

On se redit les raisons qu'on a de rester, avec la conscience d'être à la jonction entre deux groupes qui s'affrontent ici et un peu partout en Occident (et au Proche-Orient, évidemment).

24 décembre

« Ils » sont là, vers 19 h 15, à trois entre nos murs (trois autres à l'extérieur), armés, sans être directement menaçants. Ils font irruption à l'hôtellerie où se trouvent notre curé, Gilles N., et trois étudiants africains avec l'hôtelier, frère Paul. Ils demandent à voir le « pape du lieu ». L'un d'entre eux s'introduit dans le cloître et cherche à rassembler les frères. (Deux frères s'enfuient sans être vus et resteront cachés jusqu'aux Vigiles, redoutant le pire pour les autres.) Frère Christian se rend à l'hôtellerie. Il a un long entretien avec le responsable, après avoir fait remarquer que des armes pénètrent pour la première fois dans une « maison de paix » où elles n'ont pas leur place. Le chef se veut rassurant sur ses intentions, dans l'immédiat et pour la suite, à condition que... 1)... 2)... 3)...[1]. Frère Christian argumente. « – Vous n'avez pas le choix ! » Ils n'avaient pas noté que c'était Noël. On est restés dans le flou. Le but était clairement de nous compromettre... De fait, impossible de prévenir les autorités. Évidemment, ce fut un Noël assez particulier.

26 décembre

Réunion communautaire. Une majorité des frères se prononce pour un départ assez immédiat.

---

1. Les moines ont volontairement omis de mentionner la nature des conditions.

On doute que le temps nous soit laissé de prendre des dispositions pour préserver l'avenir. On estime à l'unanimité qu'il n'est pas moral de satisfaire à la troisième demande. Un engrenage qui coûterait cher à l'Église. Cependant un des visiteurs de Noël a bien précisé que le GIA faisait une distinction entre « chrétiens » et « étrangers »...

27 décembre

Visite de notre archevêque, le père Teissier. En resituant notre communauté parmi les autres, il souligne l'effet qu'aurait notre départ brutal sur tous les chrétiens dans l'épreuve. Il suggère quelque chose de « progressif » qui ménagerait les transitions avec l'environnement et sauvegarderait l'avenir. Mais il se défend de peser sur la décision.

28 décembre

La communauté se rallie à la formule de l'évêque. Trois frères s'éloigneront provisoirement pour raison de soins ou d'études. Les autres prépareront un départ... Dans la soirée, l'évêque choisit de prévenir le wali que quelque chose...

29 décembre

Frère Christian est convoqué à la wilaya. Lettre ferme du wali rappelant la nécessité des mesures de sécurité, et dégageant sa responsabilité. Il exige réponse.

30 décembre

Réponse de la communauté au wali.

31 décembre

On prend une série de votes conventuels pour tenter d'éclaircir des voies communes de décision et d'avenir. Très fort consensus pour un refus de « collaboration », pour une formule « progressive » réservant même la possibilité de rester si rien ne fait obstacle et dans l'ignorance où on est de ce que pourrait solliciter l'« envoyé » annoncé. On aimerait aussi rester ensemble, et se ménager un retour en Algérie, avec Fès comme point d'attache.

1ᵉʳ janvier 1994

Rencontre avec nos associés du jardin. On essaie d'aménager la coresponsabilité de l'exploitation.

3 janvier

Frère Philippe descend à Alger pour pouvoir travailler à son aise au centre diocésain d'études, actuellement déserté... Il passera à Alger une semaine sur deux. Nombreux signes de sympathie et d'attention venant du voisinage.

5 janvier

Frères Paul et Célestin descendent à Alger. Ils prennent l'avion le 6 vers Marseille avec mission de se rendre à Aiguebelle pour faire le point de la situation avec le père immédiat (en lien avec l'abbé général). Ils doivent ensuite subir quelques contrôles de santé prévus de longue date.

La situation au 5 janvier 1994
à 6 heures du matin

Depuis septembre 1993, vingt-quatre étrangers ont été assassinés, dont les douze Croates égorgés ensemble le 14 décembre sur le chantier de Tamesguida. Chiffre peu important par rapport aux centaines de policiers, gendarmes, militaires, victimes du terrorisme, comme aux dizaines de personnalités ou de civils... Peu important aussi par rapport à la présence étrangère en Algérie.

Mais la menace diffuse a porté fruit. Sûrement plus de la moitié des résidents ont quitté le pays, au moins provisoirement. Les personnels d'ambassade ou d'entreprise ont été réduits et sont très « protégés ». Les épouses de ménages mixtes se sentent très vulnérables...

Cependant aucun prêtre, religieux, religieuse, n'a été directement menacé. Peut-être même pas directement visé par l'appel du GIA contre les nouveaux « croisés », diffusé par la presse.

La plupart des communautés sont restées dans leurs lieux, même exposés. Souvent la population leur manifeste beaucoup de gentillesse.

Campagne ou ville... difficile de dire où se trouver en plus grande sécurité. C'est sans doute, pour chacun, dans son environnement habituel. On a le sentiment que les groupes armés sont mieux organisés et coordonnés qu'on ne l'aurait pensé.

Impossible de dire comment évoluera la situation politique du pays. Une « convention nationale » est convoquée pour les 25-26 janvier. Il devrait en sortir une nouvelle instance de pouvoir, transitoire, pour remplacer le HCE en fin de « mandat ». Y a-t-il quelque chose de viable sans l'appoint des partisans du FIS ? Le peuple n'a toujours pas accepté d'être frustré de « ses » élections (législatives) en janvier 1992.

En cas de « république islamique », quelle serait la place de l'Église ? d'une implantation comme la nôtre ? Ne pas répondre trop vite à partir des modèles existants... mais ?!

Sur le plan économique, l'année 1994 s'annonce rude pour le pays. La chute du pétrole, les exigences du FMI, l'obligation d'importer (en devises) des produits alimentaires de première nécessité... et le chômage de la jeunesse.

En communauté, nous avons d'abord vécu une expérience de profonde communion, instant après instant, accueillant les mots de la prière et les choses de la vie régulière comme un véritable don de Dieu nous dictant ce qu'il y a lieu « de dire et de faire », ici, maintenant. Rôle capital de frère Luc, médecin et ancien !

Durant quelques semaines, nous allons donc rester à six sur place. La saison permet davantage ce chiffre réduit. L'hôtellerie est provisoirement fermée. On peut compter sur l'appoint des associés plus directement liés à la gestion du domaine sous la responsabilité de frère Christophe. Sur le plan matériel, il va falloir jouer serré pour joindre les deux bouts, comme nos voisins...

On s'est efforcés de prévoir le plus urgent en cas d'« absence » imposée. Le plus difficile serait d'éviter le pillage des locaux. On ne saurait souhaiter une occupation par l'armée. Ce serait la ruine du domaine (jardin, parc, eau), de l'environnement.

En tout ceci, nous sentons très fort le soutien de notre Église. L'évêque, le nonce, d'autres téléphonent fréquemment.

Relation du frère Christophe
Janvier 1994

« L'inscription de la foi n'est rien d'autre
que l'insertion d'un acte dans la trame
de l'histoire spirituelle de l'humanité »
Guy Coq.

Ce Noël ne fut pas comme les autres.

Il est encore tout chargé de sens. Comme
Marie, nous gardons toutes ces choses qui nous
sont arrivées. Nous continuons l'entretien qu'elle
inaugura en son cœur. Le sens, comme un glaive,
nous transperce. Le Verbe prend cette communauté de chair et de sang pour se dire ici,
aujourd'hui.

Nous venions de terminer notre retraite de
communauté avec le père Sanson s.j. Il y avait eu
des points d'examen et des points d'oraison. Et
chacun, sans doute, avait pris quelque bonne
résolution.

Je n'en avais point d'autre que la sienne :

résolution d'amour confié. Chaque jour je la reçois... je la prends, je la mange, je la bois... Ceci est mon corps livré pour vous. Ceci est la coupe de mon sang versé pour vous et pour la multitude.

Je suis résolument vivant de lui, en lui, avec lui.

Nous sommes en situation d'épiclèse.

J'apprends des choses ; l'école du service du Seigneur ne prend surtout pas de vacances à Noël. L'Enfant est notre maître. J'apprends l'Église : ce grand bonheur d'en être, tenu charnellement en ce corps qui dit ici, maintenant, la présence.

Il y avait cette nuit-là, avec nous, Gilles, notre curé, et trois étudiants africains. Il y avait ces hommes et ces femmes de Croatie et de Bosnie venus pour la fête de Noël 1991. J'apprends l'Église ; je la vois parée comme une épouse à la manière de son époux, le Serviteur souffrant.

Il y avait Fernand, un Savoyard ami.

Il y avait nous, chacun ; et les événements, qui nous ont immensément rapprochés, n'ont rien gommé des différences. Le matin, nous avions convenu qu'il serait idiot de faire bloc. Chacun a vécu ces choses graves. Chacun les interprète. Chacun tâche de les assumer. Et puis, il y a aussi un « nous » qui chemine, progresse en grâce et en sagesse (!?!). On est déplacé, conduit là où on

n'aurait jamais pu aller malgré toute notre religion.

... Il est grand, le mystère de la foi... de la
fidélité plus tendre. Oui, je suis bien ému d'être
membre de ce corps, sans éclat ni belle apparence.

Henri Teissier, notre pasteur, est venu nous
voir. Ce qu'il a fait d'abord, c'est de présider le
sacrifice de louange. Après, on a écouté, on s'est
laissé agrandir aux dimensions de son inquiétude
de berger quand les brebis sont menacées. Il est
reparti. Nous laissant libres dans une obéissance
qui n'avait devant elle aucune solution évidente.
Il a fallu aussi apprendre l'obéissance ensemble,
sans préjudice pour la conscience de chacun.

J'apprends ça aussi, et c'est un point sur lequel
on a beaucoup écrit, et j'avais aussi mon idée là-
dessus : c'est la question des moines.

J'apprends donc qu'il y a d'abord l'Église, et
nous on est de ce corps christique. Je sais qu'on
n'est pas meilleurs, ni des héros, ni vraiment rien
d'extraordinaire. Je sens cela très fort ici, à
Tibhirine. Et puis, il y a quelque chose d'unique
dans notre façon d'être Église : de réagir aux
événements, de les attendre, de les vivre.

C'est une certaine conscience, comme si on
était responsables non pas de quelque chose à
faire, mais de quelque chose à être ici, en réponse
de vérité, en réponse d'amour. On envisage

l'éternité ? Il y a de ça. Notre-Dame-de-l'Atlas, « signe sur la montagne » (*signum in montibus*), annoncent nos armoiries.

Et je vois que notre mode particulier d'existence – moines cénobites, etc.– eh bien, ça résiste, ça tient, et ça vous maintient. Ainsi, pour détailler un peu :

L'office. Les mots des psaumes résistent, font corps avec la situation de violence, d'angoisse, de mensonge et d'injustice. Oui, il y a des ennemis. On ne peut pas nous contraindre à dire trop vite qu'on les aime, sans faire injure à la mémoire des victimes dont chaque jour le nombre s'accroît. « Dieu saint ! Dieu fort ! Viens à notre aide ! Vite, au secours ! »

Et puis, on reçoit des mots d'encouragement, de consolation, des mots qui font espérer, et c'est là que lire l'Écriture, c'est vital. Il y a du sens. Il est à recevoir, à reconnaître. À reconnaître, il s'accomplit : Toi qui viens ! Et nous voilà chargés de sens. Il s'accomplit : amour en croix.

Il y a quelqu'un dont la place est bien marquée dans la règle de saint Benoît, c'est l'abbé. Oui, nous croyons qu'il tient la place de toi qui donnes ta vie. Ce rôle est bien tenu par l'un de nous. Il a reçu le titre singulier, et somme toute fort singulier, de « monsieur Christian ». C'est le mot de passe. Le mot pascal. Ce monsieur est en lien avec Marie. « Seul, moi, je passerai ! » Solitude filiale et fraternelle près de la Mère. Mission difficile. Elle pèse sur l'un, et sur chacun. Nous sommes un peu accablés, fatigués là, au creux des épaules. (On se couche plus tôt !) Eh oui, c'est le travail de la foi !

Moines. On est en train de le devenir un peu plus en vérité, selon l'Évangile de notre Seigneur Jésus Christ. Et c'est ici : inculturation spirituelle. La symbiose avec nos voisins, avec le pays, nous réserve de grandes choses. Par exemple, le regard d'Ali quand vient la nuit et qu'il regagne sa maison, nous quittant jusqu'au lendemain. *In cha' 'Allah !* Et Moussa taillant un pommier avec Philippe hier, jour d'Épiphanie. Ou la réunion avec les associés, pour marquer le nouvel an. Mohammed prenant en main sa nouvelle responsabilité de chef de culture ad-joint.

Pardon, mais il y a encore autre chose, c'est de manger, c'est de boire ensemble. Ah ! les frites du toubib... délivrées uniquement sur ordonnance, comme le miel du rucher ! Frère Luc ? Oui, il est bien exposé. Pour le 1er janvier 1994, inaugurant l'année et le mois de ses 80 ans, au réfectoire, nous avons écouté la cassette qu'il garde en réserve pour le jour de son enterrement : Édith Piaf chantant : « Non, je ne regrette rien ! »

Si nous nous taisons,
les pierres de l'oued hurleront...
22 janvier 1994

Entre ce vendredi 21 janvier où notre Église répond par un jeûne à l'appel de Jean-Paul II en faveur de la paix pour les Balkans, et ce dimanche 23 où elle est invitée à s'unir dans la prière à cette intention, il y a, pour nous ici, ce samedi 22 qui correspond au quarantième jour du massacre de nos frères croates au village voisin de Tamesguida (près de Médéa).

Fidèles à la coutume locale, nous avons voulu nous recueillir aujourd'hui dans le souvenir de ces morts que les mass media semblent avoir si vite enterrés. *La Croix l'Événement* n'aura parlé d'eux que dans un bref article de son édition du vendredi 17 décembre, sous un titre peu compromettant : « Le pouvoir algérien affaibli ». Il y aura eu heureusement, sur les ondes algériennes, la parole courageuse de l'évêque d'Oran dans son homélie du 1ᵉʳ janvier : « Plusieurs d'entre nous ont été lâchement assassinés ces dernières semaines parce qu'ils étaient chrétiens et que les leurs étaient en guerre contre des musulmans en Bosnie. Travailleurs, loin de leur pays et de leur famille, ces hommes ne demandaient qu'à vivre en paix en mettant leur technique au service de l'Algérie. »

Situés à quatre kilomètres à vol d'oiseau de ce camp de Tamesguida, nous sommes, de fait, la communauté chrétienne la plus proche. Impossible d'ignorer ce qui s'y est passé. Impossible également de ne pas nous sentir plus directement exposés. Mais si nous nous taisons, les pierres de l'oued encore baignées de leur sang sauvagement répandu hurleront la nuit (*cf.* Lc 19, 40).

« C'est pour toi qu'on nous massacre sans arrêt, qu'on nous traite en bétail d'abattoir. Réveille-toi ! Pourquoi dors-tu, Seigneur ?... » C'est ce psaume 43 qui accompagnait notre office de none, ce mercredi-là, comme les autres mercredis. Mais il prenait une actualité bouleversante. Nous venions tout juste d'apprendre le massacre de la veille au soir. Ignorant alors ce qui allait se passer, nous avions chanté, sans doute machinalement, un autre verset de psaume qui prenait sens tragiquement, là, à notre porte : « Ne laisse pas la bête égorger ta tourterelle, n'oublie pas sans fin la vie de tes pauvres » (Ps 73, 19).

Le mardi 14 décembre, à la nuit tombée, douze hommes, douze frères, citoyens de l'ex-Yougoslavie, ont été égorgés à l'arme blanche. Ils étaient quatorze, mais deux d'entre eux n'ont été que blessés par le couteau de l'égorgeur. On les avait mis à part, parce que croates, et parce que chrétiens. Cette identité-là, on a voulu la vérifier. Ils ont été ligotés, dépouillés de leurs vêtements, conduits en contrebas de leur camp, vers l'oued, pour y être immolés. Des heures passeront avant que l'alerte soit donnée...

C'était des hommes mûrs, pères de famille pour la plupart, éloignés des leurs depuis plusieurs années par des contrats successifs, sur le chantier routier de la Chiffa, d'abord, puis pour ce projet ambitieux de tunnel sous le djebel avec la société Hydroelektra. Des hommes courageux, laborieux, tout le monde avait pu le constater. Beaucoup étaient trop loin de la Yougoslavie lorsque celle-ci avait éclaté, lorsque la guerre s'y était installée.

Un jour, ils étaient revenus avec une autre identité nationale : ceux-ci Croates, ceux-là Bosniaques... mais ils avaient continué de travailler ensemble, en bonne intelligence mutuelle, semble-t-il. Les difficultés de l'Algérie étaient survenues pour ne rien arranger : paiements différés, menaces, incendie au chantier... ils avaient reçu des avertissements. L'entreprise avait décidé de liquider. Ils étaient sur le départ. Ils rêvaient même du prochain Noël en famille, sinon le 25, du moins pour la Noël orthodoxe. Leurs meurtriers ne pouvaient l'ignorer.

Au monastère, nous les connaissions. Nous les avions vus arriver une nuit de Noël, mêlés aux Hongrois, aux Slovaques, aux Polonais, aux Italiens de l'époque. Les autres étaient partis. Ils étaient toujours là, pour les nuits de Noël et de Pâques. La nuit, parce que le jour suivant il leur faudrait être au travail. L'an dernier, à cause du couvre-feu, ils n'avaient pu se déplacer. Mais, le soir de Noël, après leur travail, ils avaient fait le pèlerinage à la chapelle, à la crèche. Ils se souvenaient : ce bâton d'encens qu'ils avaient allumé, gauchement, auprès de l'Enfant en venant faire le geste d'adoration des bergers auxquels ils ressemblaient si fort, jusque dans leur regard attendri et un peu mouillé.

Ils n'avaient pas beaucoup d'autres façons de participer à la célébration ; ils étaient là, mais ce n'était ni leur langue ni leur rite bien souvent ; et ils ne pensaient pas avoir droit au partage eucharistique. Mais ils aimaient le chocolat chaud, ensuite, et l'accueil de tous, des Sœurs notamment. Ils repartaient dans la nuit, tout heureux d'emporter un petit calendrier ou un sachet de lavande.

Et voilà. Noël revenait. Et nous le savions, ils ne reviendraient pas. Non pas le couvre-feu, si dérisoire apparemment. Ils n'étaient plus là. Ils n'étaient plus. Et pourtant, impossible de ne pas les voir à leur place habituelle, de ne pas leur faire la place auprès de l'Enfant, parmi les bâtons d'encens qui brûlent comme pour dissimuler l'odeur du carnage. Si l'Emmanuel est né de nuit, n'est-ce pas pour naître de toutes les nuits, même de celle-là, toute proche, qui pour eux fut la dernière ? « Ce massacre des innocents précédant la Nativité », avait dit notre curé (et le leur) en ouvrant l'eucharistie que nous avions voulu célébrer à leur intention au lendemain du drame. Aussitôt après, il était allé directement à l'hôpital où il avait pu rencontrer un des deux rescapés.

Par lui, il avait su le reste. Et il avait pu lui dire, avant qu'il soit évacué vers son pays, de prévenir les familles, là-bas, qu'ici on s'était souvenu, dans la prière ; et qu'ici tous les voisins avaient partagé l'horreur de ceux qui, là-bas, épouses, enfants ou parents, ne comprendraient jamais que vienne s'ajouter à tous leurs malheurs cette vengeance gratuite, exercée au loin par des inconnus en cagoule, étrangers au tragique de l'histoire yougoslave et prompts à s'identifier au bras de Dieu : *Allah Akbar !* Le blessé témoignait : ils l'avaient crié, comme pour se donner du cœur à l'ouvrage, avant de les égorger méthodiquement, rituellement.

Il faudrait dire encore l'humiliation de tous ceux qui, dans notre environnement, ont ressenti ce massacre comme une injure faite à l'islam tel qu'ils le professent, et cela, au double titre de l'innocence sans défense et de l'hospitalité accordée. Plusieurs ont su faire référence au verset coranique qui dit : « Celui qui a tué un homme qui lui-même n'a pas tué, ou qui n'a pas commis de violence sur la terre, est considéré comme s'il avait tué tous les hommes... » (Coran 5, 32).

Mais c'est alors, semble-t-il, que Dieu intervient. Dans sa miséricorde, il ne permet pas que les extrémismes de l'homme dénaturé l'emportent complètement. Sa mystérieuse emprise sur les événements et les cœurs ne saurait être mise totalement en échec. Elle se manifeste plus loin que les frontières de langues, de races ou de religions. On l'a souvent dit pour la Bosnie. Ce fut vrai ce soir-là également. En effet, alors que la majorité de leurs victimes avaient été surprises à regarder la télévision dans une salle commune, les meurtriers (ils étaient entre trente et cinquante, dit-on) avaient aussi découvert quatre autres techniciens dans une pièce différente.

Ils les avaient déjà ligotés quand l'un d'entre eux déclara : « Je suis bosniaque et musulman. » On lui demande aussitôt de le prouver en prononçant la *chahâdâ* (la profession de foi). Il s'exécute. C'est concluant. Puis il déclare, en montrant ses trois collègues : « Ici, tous musulmans ! » Alors, sans plus de vérification, on les abandonne ainsi ligotés au lieu de les regrouper avec les autres, et ils échappent à la tuerie. Or les trois autres étaient chrétiens. C'est donc à leur compagnon musulman qu'ils doivent d'avoir pu retourner vivants dans leur pays. Le même verset coranique poursuit : « ... et celui qui sauve un seul homme est considéré comme s'il avait sauvé tous les hommes » (Coran 5, 32).

Cela non plus, nous ne pouvions le taire.

Le prieur et les frères du monastère cistercien Notre-Dame-de-l'Atlas, Médéa, Algérie.

Article publié dans le journal La Croix *du 24 février 1994.*

« *Obscurs témoins d'une espérance* »
17 juillet 1994

« Le martyre à une heure de vol de Marseille ! » Voilà qui sonne comme une réclame touristique, de plus ou moins bon goût. [...] Et d'abord, de quel « martyre » parle-t-on ? La question vaut d'autant plus d'être posée qu'ici, depuis des mois, nous sommes environnés de « martyrs ». Dans un camp comme dans l'autre, chacun honore ses morts sous ce titre unique (en arabe *chahid*, pluriel : *chouhada'*). C'est le cas de ceux qui meurent les armes à la main. Et aussi des civils assassinés. Tout près de nous, par exemple, c'étaient ces six jeunes du contingent égorgés dans leur casernement ; pour le seul crime d'avoir vingt ans et d'avoir dû répondre à l'appel. Et, le jour suivant, c'étaient quatre infirmiers de l'hôpital civil arrêtés en plein service par des « forces spéciales », torturés, laissés moribonds sur le pavé de la rue ; pour le seul crime, semble-t-il, d'avoir soigné un terroriste, répondant ainsi à l'urgence de la conscience professionnelle. D'un jour sur l'autre, le petit peuple se retrouve au même lieu pour pleurer les siens. Il se reconnaît en eux. Il pense que Dieu aussi. Ces victimes obscures du devoir d'état ont fait honneur à leur profession de foi musulmane, à leur *chahâdâ* ; ce sont d'authentiques « témoins », de vrais *chouhada'*.

Nous-mêmes, de quel « martyre » parlons-nous ? Longtemps, nous avons entendu ce mot dans le sens étroit d'un témoignage de foi explicite envers le Christ et le dogme chrétien, jusqu'au sang versé. Certains « Actes » de martyrs nous étonnent même par cet aplomb de la foi. Nous vivons en un temps où celle-ci n'exclut pas le doute, le questionnement. Parfois il y a aussi dans ces « Actes » un comportement qui déconcerte : ces témoins de la foi, ces « martyrs », comme ils peuvent être durs pour leurs juges ! Que penser de cette conscience intrépide d'être du côté des « purs » ? Et de cette certitude souvent exprimée que le persécuteur ira tout droit en enfer ? Est-ce cela, « aimer ses ennemis », et « prier pour ceux qui vous persécutent » (Mt 5, 44) ?

Curieusement, il aura fallu attendre le XXᵉ siècle finissant pour voir notre Église reconnaître le titre de « martyre » à un témoignage moins de foi que de charité suprême : Maximilien Kolbe, martyr de la charité. Pourtant, le témoignage de Jésus lui-même, son « martyre », est martyre d'amour, de l'amour pour l'homme, pour tous les hommes, même pour les assassins et les bourreaux, ceux qui agissent dans les ténèbres, prêts à vous traiter en « animal de boucherie » (Ps 49), ou à vous torturer à mort parce que vous avez des sympathies aussi pour « les autres ». « Père, pardonne-leur ! Ils ne savent pas ce qu'ils font ! »

Pas de plus grand amour que de donner ainsi sa vie pour ceux qu'on aime (Jn 15, 13). Mieux vaut le faire d'avance, et pour tous, comme Jésus. De telle manière qu'il ne vous la prendra pas, celui qui croira vous mettre à mort ; déjà, à son insu, ce don lui était consenti, comme aux autres. Hamid, un des jeunes familiers de la bibliothèque de la Casbah qu'animait frère Henri, a pu témoigner : « On ne lui a pas ravi sa vie, il l'avait déjà donnée ! » Reste que le ravisseur a commis un assassinat, et que, dans la violence délibérée de son acte, il a gravement manqué à l'amour que Dieu a inscrit dans sa vocation d'homme, comme dans la mienne. Je ne peux souhaiter cela à personne. Jésus ne pouvait souhaiter la trahison de Judas. N'est-ce pas trop cher payer ce qu'on appelle volontiers la « gloire du martyre » que de la devoir au geste meurtrier d'un frère en humanité ? Sans compter les généralisations que beaucoup seront portés à faire, incluant par exemple tous les Algériens dans la responsabilité du crime commis par quelques-uns... Sa gloire à lui, Jésus ne la tient pas de Judas. Elle lui vient de son Père, et elle tient au témoignage qui lui est absolument propre, celui de l'innocence : « Lui, il n'a rien fait de mal » (Lc 23, 41). Face à ce « martyre »-là, le saint et l'assassin ne sont que deux larrons dépendant d'un même pardon. Peu s'en faut parfois qu'ils ne soient interchangeables !

Tous ceux qui auront participé aux obsèques de sœur Paul-Hélène et de frère Henri à Notre-Dame d'Afrique auront été profondément marqués par l'extraordinaire sentiment de paix et de communion qui s'en dégageait. La solennité de l'Ascension, célébrée ce jour-là, nous entraînait tous aussi loin que Jésus, à travers la brèche ouverte sur l'invisible, et, tout à la fois, nous renvoyait au quotidien de ce peuple et de ce pays où nous savions devoir retrouver, jour après jour, le témoignage de cette sœur et de ce frère. À aucun moment le mot de « martyre » ne fut prononcé. Il eût paru déplacé. Ils n'en avaient besoin ni l'une ni l'autre, pour s'imposer à tous, incontestables, jusque dans leur message conjoint de modestie, de petitesse : petite sœur de l'Assomption, petit frère de Marie... Ce qui leur était arrivé, cette mort brutale, s'inscrivait dans une continuité dont les jalons devenaient lumineux. Ceux qui ont revendiqué leur meurtre ne pouvaient s'approprier leur mort. Elle appartenait à un Autre, comme tout le reste, et depuis longtemps. « Ça fait partie du contrat, disait Henri en riant, et ça sera quand Il voudra.

Ce n'est pas ça qui va nous empêcher de vivre, tout de même ! » Peut-être est-ce cela qu'on appelle des « chrétiens en sursis » ?

Henri comme Paul-Hélène, c'était une constante exigence de régularité spirituelle : prendre les moyens quotidiens de la prière, qui font que le dernier jour ne diffère guère des précédents. Simplement, on est prêt à accueillir les élèves (c'est l'heure), comme à partir (et voilà que c'est l'heure).

Henri, c'était aussi un regard vers l'islam qui ne cessait de se laisser remettre en cause, de l'intérieur d'une quête de Dieu toujours en éveil. « Je me laisse questionner, et je questionne, je déstabilise un peu l'autre, et l'autre me déstabilise... C'est comme Marie, je ne comprends pas, mais je garde. Ce qu'ont saisi les petits, c'est merveilleux. Les savants (sous-entendu « de l'islam ») me bloquent les affaires ! »

Un frère, une sœur ont donc été tués sur leur lieu de travail, au cœur de leur existence de tous les jours, dans la « tenue des serviteurs », parmi ces jeunes du quartier qui cherchaient là les mêmes chances que d'autres, plus fortunés, d'accéder à la culture et à l'épanouissement de leurs capacités intellectuelles et humaines. Henri était à son affaire. En fait, on l'a toujours connu à son affaire, même dans les situations les plus opposées. Directeur d'école redevenu simple enseignant dans un lycée algérien, il avait su constamment inventer la bonne façon de s'ajuster là au charisme de sa congrégation enseignante, à l'école de Marie. À la bibliothèque, il tenait beaucoup à l'ambiance intérieure ; qu'elle soit faite de silence, de travail et de respect mutuel, de confiance ; la beauté du cadre, si soigneusement restauré, y prêtait. « Ces jeunes, disait-il, vivent la violence partout, dans la rue comme chez eux. Il faut qu'ils fassent ici l'expérience de la paix possible qu'ils portent en eux. »

Paul-Hélène et Henri étaient donc à leur place. Offerts, sans défense. Ils se savaient vulnérables. Ils n'ignoraient pas la peur. Ils prouvaient simplement qu'elle peut être traversée de part en part, et donc dépassée, par l'urgence plus grande d'une disponibilité à l'autre. Tout a été rapide. Une seule balle pour chacun. En plein visage pour le frère. Il s'est affaissé en ramenant sur sa poitrine la main qu'il venait de tendre au meurtrier ; il achevait ainsi le geste de l'accueil tel qu'il se pratique ici, comme pour mieux dire qu'il vient du cœur. La sœur a été frappée par-derrière, à la nuque. Elle avait vu le frère s'écrouler. Elle a levé les bras dans un geste d'étonnement qui lui était familier. Elle est morte étonnée, comme les enfants. Mort violente, certes, et pourtant mort si naturelle en apparence : « Ils avaient l'air de dormir », dit un témoin. Aucune trace de souffrance ni de peur. « Chaque rencontre est celle de Dieu », disait Henri, et il ajoutait : « Je lui demande d'en rater le moins possible ! » Il n'aura pas « raté » cette rencontre dernière, nous laissant la prolonger indéfiniment en appliquant la consigne qu'il s'était donnée à lui-même pour faire face au désarroi ambiant : « Dans nos relations quotidiennes, prenons ouvertement le parti de l'amour, du pardon, de la communion, contre la haine, la vengeance, la violence » (lettre du 4 février).

Ainsi, avec tous ceux qui se savent menacés, avec les personnels directement exposés, spécialement les femmes et les jeunes du contingent, et tous ceux-là dont on ne parle jamais, Paul-Hélène et Henri ont eu, « jusqu'à l'extrême », l'humble courage des petits gestes d'aujourd'hui qui assurent la victoire de la vie sur toutes les forces de destruction. Ils sont bien ces « obscurs témoins d'une espérance » que chante une hymne fériale. C'est sur eux que repose tout l'avenir du monde. Qui donc oserait croire à cet avenir s'ils n'étaient là, à nos côtés, pas à pas, coude à coude, instant après instant, patients et obstinés, lucides et optimistes, réalistes et libres, infiniment ? Selon l'adage soufi, « ils n'ont pas attendu de mourir pour mourir » ; ils n'ont pas attendu les persécuteurs pour s'engager dans le martyre, réinventant ainsi, au creux des masses, ce que les moines allaient chercher dans les déserts après l'âge des persécutions : le « martyre de l'espérance ». Tel est bien le « risque » que nous « vivons quotidiennement » par ici ; depuis longtemps il s'est imposé à nous. C'est un choix qui doit pouvoir tenir, même actuellement. Il y a fort à parier que beaucoup le font aussi « à une heure de vol d'Alger » ! En marge de ce risque-là, aurions-nous encore quelque chose à dire de l'Évangile dans le monde d'aujourd'hui ?

Frère Christian-Marie,
en mémoire des premiers martyrs d'Afrique
(Carthage, en 180),
17 juillet 1994.

Lettre circulaire de la communauté
13 novembre 1994

De Fès il m'est plus facile de répondre aux
questions que certains se posent, et nous posent
de nouveau en voyant l'Algérie se décomposer
davantage encore sous la double pression du
terrorisme et du contre-terrorisme. Après l'échec
du dialogue avec les partis, le pouvoir s'est engagé
dans une lutte à outrance, tout en annonçant
son intention de poursuivre le dialogue directement avec le peuple. Sur le terrain, comment
concilier ces deux options ? Et comment éviter
que se multiplient les formes sauvages de violence
et de banditisme ? Le chiffre de 1 000 morts par
semaine, avancé récemment par la presse étrangère, pourrait correspondre à la triste réalité du
moment.

Notre Église s'est sentie plus directement visée,
et frappée, par l'attentat du 23 octobre qui a
coûté la vie à deux religieuses de la congrégation
espagnole des Augustines missionnaires. C'était

un dimanche, à l'heure de la messe « paroissiale », à la porte de la chapelle du quartier populaire de Bab el-Oued, proche de la casbah où sœur Paul-Hélène et frère Henri ont été assassinés le 8 mai dernier, exactement de la même façon. Une remise en cause plus générale de la présence d'Église, dans ses lieux et dans ses formes, ne pouvait être évitée. Nos évêques et plusieurs supérieurs locaux se sont donc retrouvés dès le 25 octobre. Une consultation est engagée dans toutes les communautés pour définir les modalités éventuelles d'un « départ obligé ». Comment sauvegarderait-on la disponibilité des moyens, et surtout la vocation des personnes ? D'ores et déjà, dans le diocèse d'Alger, une dizaine de communautés ont pris la décision de se retirer « provisoirement » de leur lieu habituel. À l'exception des spiritains d'Oranie, les communautés d'hommes semblent maintenir leur option de rester. C'est clair jusqu'à présent pour les jésuites, les petits frères de Jésus, les pères blancs dans leur ensemble. C'est clair aussi pour nous.

À Tibhirine, comme ailleurs, cette option a ses risques, c'est évident. Chacun m'a dit vouloir les assumer, dans une démarche de foi en l'avenir, et de partage du présent avec un voisinage toujours très lié à nous. La grâce de ce don nous est faite au jour le jour, très simplement.

Fin septembre, nous avons eu une autre « visite » nocturne. Cette fois-ci, les « frères de la montagne » voulaient utiliser notre téléphone. Nous avons prétexté que nous étions sur écoute... puis fait valoir la contradiction entre notre état et une quelconque complicité avec tout ce qui pourrait attenter à la vie d'autrui. Ils nous ont donné des assurances, mais la menace était là, armée bien sûr... Ils ont donc téléphoné. Hors de la maison, grâce au téléphone portatif. Nous avons eu le temps de nous dire bien des choses, à visage découvert, et désarmé ! Ensuite, en communauté, il nous a fallu envisager une récidive. Nous avons décidé qu'en ce cas on renoncerait, dès le lendemain, à l'usage téléphonique. Ils seraient évidemment prévenus.

En fait, ils ne sont pas revenus. Sauf dans le voisinage immédiat pour confisquer les papiers d'identité. Cette pratique a quelque chose d'odieux dans un pays qui, après quarante années de lutte pour son indépendance, n'a pas encore réussi à se donner une véritable identité nationale.

En ce sens, les objectifs du mouvement berbère paraissent bien déphasés par rapport aux urgences de l'heure. De même, les outrances de l'intégrisme armé laissent totalement désemparés tout ceux qui croient, de bonne foi, que l'islam est le principal dénominateur commun de tous les Algériens. « Ça n'est pas ça, l'islam », entend-on répéter chaque fois que sont évoqués les égorgements des uns ou les tortures des autres.

Les gens simples s'avouent « perdus ». Humiliés, ballottés, menacés par les uns et les autres, ils n'y comprennent rien, et se sentent presque de trop dans un conflit où, jusqu'à présent, on ne leur demande guère leur avis, sauf à leur imposer d'en faire les frais. Leur instinct de l'hospitalité suffirait à leur redire qu'aucun pays ne saurait se définir dans le refus de l'autre. Plus positivement, un bon nombre apprennent à redécouvrir et entretenir en eux-mêmes l'idée d'un islam autre qui n'a pas besoin des enseignements du FIS ou du GIA pour se préciser. Ils y voient « un appel de Dieu à respecter son frère et à construire une humanité solidaire », selon l'expression de notre archevêque aux obsèques de nos sœurs Esther et Caridad.

« Je vous demande pardon au nom des tueurs », disait aux Petites Sœurs le policier qui venait de faire le constat après l'attentat. Nous savons bien qu'en restant avec ceux qui ne peuvent que rester nous honorons le sens qu'ils ont su trouver à notre présence, au fil d'un long quotidien de partage et de solidarité auquel tant d'entre nous se sont livrés avec le meilleur de leurs charismes personnels et communautaires. Auprès d'eux dans cette tourmente, nous nous efforçons de mériter la confiance qu'ils font à notre prière et à notre espérance pour soutenir les leurs, afin que « la balance penche enfin du côté de la paix et de la miséricorde ».

Nos frères de Fès se joignent à moi pour vous dire notre toute vivante communion d'ici et de là...

Nous n'enverrons pas, cette année, la chronique habituelle. Pour nous, c'est le temps de l'Avent qui, selon toute vraisemblance, se prolongera bien au-delà de Noël, comme à travers le long silence d'un enfant menacé au berceau. Mais l'espérance qu'il porte est plus forte que toute menace...

Avec un grand merci à chacun pour la sollicitude qui dure, et notre affection de chaque jour.

Frère Christian,
Fès, 13 novembre 1994.

Lettre du frère Paul
11 janvier 1995

Cher Père Abbé, chers tous,

Bonne, sainte et heureuse année avec celui qui est venu demeurer parmi nous pour nous révéler le Père, nous donner sa vie, sa joie, sa paix.

À l'issue de la messe célébrée par le père Christian Chessel à Notre-Dame d'Afrique le 1er janvier, les participants se sont simplement souhaité une « meilleure année ». L'atmosphère était à la sérénité grave. Plus personne ne peut se faire d'illusions. Chacun sait que demain ce peut être son tour. Chacun choisit librement de rester ou de partir.

Nos huit martyrs de l'année 1994 n'ont pas été victimes du hasard ou d'un accident de parcours, mais d'une nécessaire purification. Il me semble juste de les appeler martyrs parce qu'ils ont été des témoins authentiques de l'Évangile dans l'amour et le service gratuit des plus pauvres ; ce qui ne peut que faire question et être une contestation radicale de tous les totalitarismes et donc intolérable aux yeux de certains.

L'église n'était pas comble pour cette cérémonie, la communauté chrétienne d'Algérie est criblée. Les petites communautés ferment leurs portes les unes après les autres. Ce mois de janvier, les sœurs clarisses partent pour Nîmes. L'assassinat de leur aumônier, le père Charles Deckers, a sans doute précipité leur décision. Ce dernier venait d'arriver depuis seulement dix minutes pour fêter la Saint-Jean à Tizi-Ouzou quand se sont présentés les faux policiers.

Ce n'est que le hasard qui a fait correspondre le nombre des victimes de Tizi-Ouzou à celui des terroristes tués dans l'Airbus. L'issue du détournement de l'avion n'a probablement été que l'occasion de mettre à exécution un projet envisagé bien auparavant.

À cause d'une indiscrétion, des propos confidentiels de notre évêque ont été publiés par un journal italien et largement réutilisés ici par la presse et par le pouvoir. À lire ce qui est écrit, j'en ai immédiatement déduit que, si ce n'était déjà fait, il figurera sur la liste noire des terroristes. Il faut être très prudents dans nos propos, même en ce qui concerne les banalités que je vous écris. Il n'est pas utile qu'elles aillent plus loin que Tamié, elles sont plus que suffisantes pour désigner des « croisés ».

Quant à nous, le groupe qui règne sur notre secteur, et qui a eu les honneurs de la télévision française il y a quelques semaines, n'a pas jugé intéressant jusqu'à ce jour de nous mettre à son palmarès. En cas de « raison d'État », les autres peuvent faire pression sur celui de notre secteur pour qu'il tire profit de la cible de choix et très facile que nous formons.

Nos frères de Fès souhaitaient la présence d'un frère de l'Atlas parmi eux, surtout pendant l'absence prévue de frère Guy. C'est frère Célestin qui s'y rendra demain. Frère Philippe l'accompagnera et poursuivra, là-bas et à Meknès, ses études dans un climat encore plus serein.

Dimanche dernier, frère Christian et frère Philippe ont mis cinq heures pour revenir d'Alger ; le passage sur buses, remplaçant provisoirement un pont sur la Chiffa, pont précipité dans l'oued par nos frères de la montagne cet été, ce passage était complètement submergé par les eaux turbulentes dues aux pluies abondantes des jours précédents. Ils sont passés près d'un bus calciné, encore fumant (un de plus ! combien de centaines ont subi le même sort, plus de cinq cents écoles, etc.). Ils ont failli avoir chaud : à dix ou vingt minutes près, leur compte était bon. Notre Seigneur nous l'a bien dit : « Ne craignez pas ceux qui ne peuvent tuer que le corps », ou bien dans la lettre aux Hébreux aujourd'hui : « Jésus, par sa mort, a pu réduire à l'impuissance celui qui possédait le pouvoir de la mort et il a rendus libres ceux qui, par crainte de la mort, passaient toute leur vie dans une situation d'esclaves. »

Jusqu'où aller trop loin pour sauver sa peau sans risque de perdre la vie. Un seul connaît le jour et l'heure de notre libération totale en lui. Que restera-t-il dans quelques mois de l'Église d'Algérie, de sa visibilité, de ses structures, des personnes qui la composent ? Peu, très peu vraisemblablement. Pourtant je crois que la Bonne Nouvelle est semée, le grain germe, comment en douter en lisant les deux courts articles de Saïd Mekbel, lui-même assassiné début décembre. Cette attitude n'est pas un cas unique. L'Esprit est à l'œuvre, il travaille en profondeur dans le cœur des hommes. Soyons disponibles pour qu'il puisse agir en nous par la prière et la présence aimante à tous nos frères.

Tibhirine,
le 11 janvier 1995.

Lettre circulaire de la communauté
11 avril 1995

Me retrouvant à Fès pour les célébrations pascales avec nos frères d'ici, je voudrais, comme dans ma lettre du 13 novembre dernier, vous permettre de rejoindre notre communauté de l'Atlas, ballottée comme tant d'autres par la tourmente actuelle de l'Algérie.

Cinq mois ont donc passé. Vous continuez sans doute de vous interroger. Le courrier entre nous passe mal depuis qu'Air France a renoncé à ses liaisons aériennes. Les nouvelles sont filtrées. Ce qui se vérifie sur le terrain n'est guère rassurant. Violences et exactions confirment la faillite du « va-tout » sécuritaire. C'était prévisible. La crise économique augmente encore les risques de banditisme incontrôlable. Ces jours-ci, cependant, la reprise d'un dialogue politique entre le pouvoir et les représentations populaires (partis, associations...) suscite un nouvel espoir. Certaines catégories de la population, comme les journalistes et les enseignants, les femmes aussi, paient très cher leur résistance passive aux menaces qui pèsent sur leur liberté d'action et d'expression. Trop d'incertitude autour des attentats, trop de débordements manifestes du côté des forces de l'ordre... La confiance est morte. L'annonce d'élections présidentielles voulait la restaurer. Pour le moment, c'est un échec. Comment imaginer une telle consultation quand l'arbitraire est sûr de l'emporter parce qu'il est armé ?

Après l'attentat de Bab el-Oued, le 23 octobre, dont furent victimes deux religieuses augustines espagnoles, nos sœurs Esther et Caridad, nos évêques avaient demandé à chaque communauté de prendre des dispositions, matérielles notamment, en prévision d'un départ brusqué, toujours possible. Il fallait se donner les moyens d'un repli et d'une fidélité à notre vocation d'Église, si particulière. Et comment envisager une participation à un petit « noyau » destiné à assumer une présence permanente ? La « grâce de Noël » 1993 nous avait amenés à répondre d'avance à certaines de ces questions. Nous avons pris le temps d'y revenir, et de confirmer nos options par de nouveaux votes. Et puis l'évêque est venu, comme prévu, pour achever avec nous ce discernement. Ce fut une visite en règle, à défaut de « visite régulière ». Le père Teissier put recevoir et écouter chaque frère, avant de participer à un débat communautaire qui intégrait aussi frère Robert, notre hôte ermite, et notre curé, père Gilles N., si proche et attentif. Dans le message qu'il nous laissait, il disait : « Par la grâce de Dieu, vous avez pris le risque de prolonger votre présence et votre témoignage, alors que les passages des groupes armés s'affirmaient dans votre secteur... Je voudrais vous dire combien votre présence de prière et de travail quotidien, à Tibhirine, est significative pour toute notre communauté, même sans visites à Tibhirine, puisque, compte tenu de la situation, vous êtes aux avant-postes de notre témoignage... Je voudrais donc d'abord vous remercier, et remercier le Seigneur qui vous a donné le courage de cette fidélité, mais qui a aussi, jusqu'à maintenant, fait triompher, dans la conscience des islamistes, la volonté de nous respecter... »

Noël 1994, ce fut surtout le suspense créé sur l'aéroport d'Alger autour de l'Airbus d'Air France. Et puis le dénouement à Marseille, le 26 décembre à 17 heures, suivi tout aussitôt, le mardi 27 décembre à midi, de l'assassinat de quatre pères blancs à Tizi-Ouzou. Nous les connaissions bien, chacun en particulier. C'était une communauté entière qui était ainsi éliminée. Impression brutale de n'être nous-mêmes qu'un « vivier » offrant une réserve de victimes faciles pour d'autres représailles. Instantanément, les autorités de la wilaya (préfecture) se soucièrent de notre protection. Une nuit, ce fut même très envahissant. Les « frères de la plaine » auraient volontiers campé dans nos murs. Il a fallu leur faire admettre que cette cohabitation était ruineuse pour notre sécurité, comme pour notre vocation. Depuis, nos voisins savent répéter l'antienne : « C'est *harram* (interdit par Dieu) d'entrer avec des armes chez les pères. » Et c'est clair qu'elle les rassure.

Cependant notre refus est remonté (lentement) jusqu'au ministère des affaires étrangères qui, de nouveau, a convoqué la nonciature pour une note verbale dénonçant cette insubordination. Le substitut du nonce, un Zaïrois, a eu la réponse adéquate auprès du chef de cabinet du ministre : « Supposez que vous avez construit votre maison au sommet d'une montagne. Vous avez une vue magnifique, avec un précipice à droite et un précipice à gauche. On vous demande de déplacer légèrement votre maison. De quel côté le ferez-vous ? » Cette parabole bien africaine n'a pas eu besoin d'autre commentaire...

Dans le même temps, notre Église s'est encore réduite. Beaucoup de départs, individuels ou collectifs. Celui de nos vingt-huit sœurs clarisses d'Alger, improvisé en grande hâte, nous a particulièrement affectés. Après l'effondrement des Sœurs Blanches et des Filles de la Charité, ce sont les Petites Sœurs et les Petits Frères de Jésus qui deviennent les mieux représentés. En communauté, il était déjà prévu que frère Célestin irait renforcer nos frères de Fès pour le chant, tout en bénéficiant des possibilités marocaines pour un contrôle médical. Il partait donc le 12 janvier, mais accompagné de frère Philippe qui avait besoin d'un environnement moins tendu pour les études qu'il poursuit dans le cadre de sa formation (arabe et théologie). Frère Célestin vient de revenir sur Tibhirine. Frère Philippe reste encore ici jusqu'à ses examens, fin mai, à Strasbourg. Nous avions espéré voir revenir frère François pour la suite de son noviciat parmi nous à partir du carême. Il a paru plus sage de le laisser plus longuement parmi nos frères d'Orval par qui il nous est venu. Vers le 15 mai, il devrait arriver à Fès où il retrouvera frère Christophe lequel sera relayé, en juillet, par frère Paul. Ces allées et venues entre Algérie et Maroc ne peuvent plus se faire que par voie aérienne. Nous mesurons mieux encore l'importance de cette petite communauté « annexe » dans les mesures qu'il nous faut prendre pour sauvegarder et les santés et l'avenir. Nos frères s'y prêtent avec grande compréhension et charité. Il est vrai que, sur place, le petit nombre rend plus lourde la charge commune. Mais nos associés le sentent bien, et ils ne ménagent pas leur peine. Récemment, ils ont même voulu assumer la peinture de notre chapelle et celle de notre dispensaire : « la maison de Dieu et celle des pauvres » ?

Pour tout résumer, nous reprendrions volontiers quelques passages du message adressé aux congrégations par les supérieurs majeurs d'Algérie, le 17 mars dernier : « En dépit de nos fragilités, nous avons la conviction qu'il nous faut durer. Pour cela, nous mesurons mieux encore le prix de ces relations qui continuent de s'offrir à nous, jour après jour... des relations simples avec des gens simples, par-delà les clivages politiques. L'islam y prend un visage propre à enrichir notre expérience de Dieu et de l'homme... Nous nous savons convoqués à la vérité d'un cheminement spirituel : nous laisser creuser pour acquérir la disponibilité d'un cœur pauvre qui ne peut offrir que sa fidélité d'aujourd'hui ; nous laisser envahir par la bienveillance de Dieu pour ce peuple qui souffre ; et aussi nous laisser provoquer par l'épreuve à un surcroît d'humanité, entre nous d'abord, afin de contribuer à exorciser la violence en exerçant simplement le ministère de vivre, et de vivre ensemble. »

Un de nos frères ajouterait que cette « immersion dans le petit peuple » nous tient vraiment à cœur, d'autant qu'elle nous paraît plus libre, plus gratuite. Il aura manqué à l'initiative de Sant' Egidio de savoir donner une voix à cette immense foule des « petits », traités par le mépris, et dont nous savons le bon sens et la générosité.

Pâques, c'est l'invincible espérance de ce que Dieu veut faire pour tous les hommes. C'est aussi le temps de rendre grâces pour tout ce qui s'accomplit en nous, et autour de nous. Le jubilé de notre frère Jean-de-la-Croix, célébré ici le lundi de Pâques, nous y convie bien. Avec lui, nous vous invitons à nous rejoindre dans un merci plein de confiance en celui qui nous tient pour la vie. Et merci à chacun de vous pour tant de sollicitude !

Frère Christian,
Fès, 11 avril 1995.

Ô Dieu, c'est toi notre espérance
sur le visage de tous les vivants !
Pâques 1995

Dans ce thème, il s'agit de Dieu – « Toi, notre espérance... »

Aveugles et sourds, il nous faut commencer par l'entendre se dire à nous, et, par une écoute patiente, en venir à croire, à voir le jour, à espérer : s'attendre à tout de toi, c'est vivre de grâce. Car « tout ce qui a été écrit jadis l'a été pour notre instruction afin que par la persévérance et la consolation apportée par les Écritures nous possédions l'« espérance » (Rm 15, 4).

Ainsi, pour ma part, j'ai été touché par ces mots inconnus – entre autres – s'offrant de nuit à ma lecture, à Tibhirine, et me balisant un étroit sentier d'espérance... (Qu'on aille donc y voir : Ba 3, 14 ; Jr 9, 2 ; 22, 15-16 ; 24, 7 ; 31, 34 ; Osée : « Je te fiancerai à moi... » ; Job aussi : « Pourquoi les méchants...? »)

J'estime que la Bible est livre d'espérance et que sa lecture « a l'espérance pour résultat [1] ». Ce thème nous conduit à l'école du Verbe ensemble, et certes il n'y a pas à faire les fiers ! En matière d'espérance, tout est à reprendre chaque matin : Écoute... espère le Seigneur et garde son chemin. Sois fort ! Prends cœur et prends courage !

Dans ce thème, il s'agit de Dieu – le Saint, le Très-Haut –, mais, si je le prie, alors il est question de toi, dont il est dit : toi, notre espérance ! C'est par ce mode particulier de connaissance – espérer en toi – qu'est posée – pro-posée – la relation inouïe : toi, c'est toi notre espérance. C'est-à-dire : nous voici ensemble, espérant bien te connaître un jour, te voir en face. Et nous alors, illuminés par ton regard : co-vivants.

Après avoir écrit « Dieu », après l'énumération de tous ses plus beaux noms : paix, lumière, miséricorde, vie, amour, lui dire toi, c'est s'engager dans l'aventure la plus folle, la plus risquée, la plus heureuse. C'est commencer d'espérer à partir de rien d'autre sinon toi : « Pour être prêt à espérer en ce qui ne trompe pas, il faut d'abord désespérer de tout ce qui trompe [2]. »

Toi, espérance nôtre : alors, au cœur de nous

---

1. Paul Beauchamp, *Études*, juillet-août 1994.
2. Georges Bernanos, cité par J. Ellul qui ajoute : « Tout Qohélet est là. »

s'ouvre un chemin, une piste de bonheur : « Étrange propriété de l'espérance : elle n'est pas une incertitude, elle n'est pas non plus un savoir. Elle n'éclaire pas comme un projecteur, elle clignote plutôt, comme une étoile. Une espérance ne peut être authentique si elle est péremptoire ou tapageuse[1]. » Elle n'est pas au service de l'ambition totalitaire d'un groupe... Elle est tout le contraire de « l'obstination d'un cœur mauvais » (Jr 18, 12). Elle s'ouvre devant nous et nous expose ensemble à toi : « Pas de ruse en toi, mon rocher ! »

Toi, l'inespéré, nous arrivant comme un « bonjour » bouleversant, comme un « salut » surprenant : « Réjouis-toi ! »... et l'espérance ne ment pas « car l'amour de Dieu a été répandu dans nos cœurs – comme d'abord en Marie – par l'Esprit saint »...

Elle produit ce que je n'arrive pas – jamais – à faire, ce désir infini de toi entraînant dans son élan de vie :

– un désintéressement, un renoncement : ton amour vaut mieux que la vie !

– un choix : pas d'autre bonheur que toi !

– une solitude aussi, car tu me donnes d'habiter seul dans la confiance !

– un événement : naître à nouveau : le seul pouvoir qui jamais ne sera conquis est donné à qui te reçoit (Jn 1, 12).

---

1. *Cf.* article de Paul Beauchamp, p. 70.

« Naître, c'est naître à l'espérance. » C'est entrer dans l'a-venir de toi, et s'offrir pour qu'il advienne en ce monde. Quelle mission, ce bonheur-là !... affrontant le pire [1]. Véritable folie : « Dieu rejeté (par Israël) ne rejette pas (Israël). Quoi de plus fort pour nourrir l'espérance ? »

Le pire, Jésus ne l'a pas fui. Il l'a affronté, désiré jusqu'à l'angoisse et la révolte. Sur la croix, il l'a accepté comme une table dressée – servie – par Dieu, son Père, « face à l'ennemi » (Ps 22). Il nous livre alors le souffle de l'espérance. Quelques femmes, dont Marie debout, sont là, ainsi que le disciple aimé. C'est l'heure de l'espérance contre toute espérance.

L'Église commence ici : par un regard d'espérance vers « celui qu'ils ont transpercé » (Jn 19, 37 ; Ap 1, 7). Transpercée, elle aussi, elle reçoit mission de porter l'espérance à son épanouissement, jusqu'à la fin (*cf.* Hb 6, 12). « Par le Christ, nous croyons en Dieu qui l'a ressuscité... de telle sorte que notre foi et notre espérance reposent sur Dieu » (*cf.* I P 1, 22).

Espérer, finalement, c'est reposant :
On habite ensemble une terre donnée,
la terre des vivants.

---

1. *Cf.* article cité.

On habite ensemble une maison ouverte,
la maison des priants.
Oui, heureux les habitants !
De ta main, qui nous délogera ?

Dans ce thème, si je le prie et cherche à comprendre, pour accorder mon cœur et mon intelligence à ce que je dis, à ce que l'Esprit veut dire en moi : toi sur le visage de tous les vivants, je fais une première découverte : l'envisagé de toi parmi tous, choisi, élu, regardé, aimé, c'est moi. Si je veux bien...

Et les autres, alors ? Pour que tous deviennent visage, tu ne peux faire autrement que d'envisager chacun et chacune... quitte à nous demander notre aide, la complicité d'un regard pur (*cf.* Ch. Bobin).

Oui, d'abord moi. Espérer, ce serait reconnaître devant toi « l'être étonnant que je suis. Alors même que j'avais dit : " Les ténèbres m'écrasent ", la nuit devient lumière autour de moi » (Ps 138). L'humanité est appelée à devenir visage : « Ils verront son visage... il n'y aura plus de nuit... car le Seigneur Dieu répandra sur eux sa lumière, et ils règneront » (Ap 22). Chacune et chacun s'entendra dire : « Debout ! Resplendis ! Car voici ta lumière et sur toi se lève la gloire du Seigneur... et ton Dieu sera ta splendeur ! » (Is 60, 1-19). Oui, un avenir de lumière nous attend, et déjà il se donne à vivre : enfants de lumière nous le sommes (*cf.* Col 1, 23). Aussi je choisis de me tenir sur le seuil, dans la maison de toi (Ps 83), c'est un bonheur qui m'arrive : Heureux qui espère en toi ! Toi, soleil, bouclier de lumière, de grâce, de gloire, ma lumière et mon salut, je t'en prie : Que ton visage – sur le visage de tout vivant – s'illumine ! (Ps 118, 135).

Moi... et les autres ? Moi et toi, ce face-à-face, s'il ne reçoit une ouverture, une brisure, risque fort de n'être qu'une illusion, voire une prison. Je ne suis pas sorti de moi-même, et j'ai capturé la gloire de toi, je l'ai réduite, me prosternant devant l'idole : « Moi ». Recevoir de toi mon être comme visage – en quête de ton visage –, c'est la liberté, et c'est une investiture qui m'oblige : impossible de me dérober à mon prochain (lire... E. Lévinas !). Dans son visage, tu me regardes. Étranger, prisonnier, nu, affamé, tu en appelles à l'espérance : c'est à moi de la mettre en œuvre. Espère ! Prends cœur ! Prends courage ! Espère encore ! Sois fort ! Il y va de la vie de ton prochain, blessé sur le bord du chemin. Allons !

L'espérance, ainsi située à hauteur du regard, ne peut plus être une évasion. Rêver n'est pas permis quand l'autre a faim, est malade... Espérer, c'est croire en l'impossible que toute relation vraie, juste, au fond attend :
– espérance du pardon (Ps 37), et de la justice ;

162

– espérance d'un baiser (Ct 1, 1 ou Lc 15) : justice et paix s'embrassent ;

– espérance d'un mot (il me dira... tu es mon fils...) ;

– espérance de... vie !

Passer outre, refuser ou fuir cet inespéré attendu de l'autre, c'est au fond choisir la mort, et plus encore devenir son artisan (*cf.* Jr 12, 4 ; 18, 18). S'ouvrir à l'espérance de Dieu, là, sur le visage de l'autre, se laisser bousculer, déranger, dérouter, c'est ne plus rien savoir, c'est entrer dans ce que, toi, tu sais (*cf.* Jr 29, 11). La porte d'espérance, c'est le malheur (le val d'Akor) qui s'ouvre à la nouveauté, et m'intime un commandement nouveau, le commandement du nouveau (*cf.* Osée) dont tu veux nous faire les complices, amoureux.

Espérer va nous prendre du temps. La lumière semée pour le juste, la joie au cœur simple, auront besoin de respect, d'attentions, de soins, et sans doute aussi de consolation aux mauvais jours... L'espérance : un vrai labeur de jardinier ! Habite la terre et reste fidèle... Qui espère le Seigneur possèdera la terre ! Un avenir est promis aux pacifiques (Ps 36). En marche, les artisans de paix, ils seront appelés tes fils !

Et je rencontre un beau matin ces mots de René Habachi (encart *Magnificat*, mai 1995). Vite je les recopie pour les inscrire en cet aujourd'hui difficile : « L'espérance se reconnaît au regard ferme, au geste audacieux, à la décision résolue, à ce dynamisme viril qui pose des actes au lieu d'en bavarder. Qui signe d'une main sûre la page du passé et accueille dans une vaste respiration l'avenir qui avance. Elle adopte parfois la forme d'une entreprise audacieuse, mais aussi les chemins les plus humbles du retour à la maison. Son authenticité rajeunit toutes choses... »

Toi, sur le visage de tous les vivants... Moi et toi, et les autres, tous. Voilà jusqu'où nous conduit ce thème. Voilà où en vient cette prière : la conversion à l'universel, grâce à l'Unique : toi. Cette exigence sourd de toi, qui fais lever ton soleil sur les bons et sur les méchants. Toi, si riche en pardon (*cf.* Is 55, 7), que sur tout visage ton regard de miséricorde se pose, et attende l'heure de faire grâce. Jamais tu ne désespères d'aucun vivant. Espérer commence par ce constat : nos pensées ne sont pas tes pensées, tes voies ne sont pas nos voies.

Espérer est décapant : tu ne peux t'aligner sur nos préjugés. Si vite, nous irions « placer » l'espérance du côté de l'argent, du pouvoir, du succès... Toi, c'est dans le pauvre que tu « investis » ton espérance (amour fou !). Ainsi, le fils de l'étranger, l'eunuque méprisé, le publicain, et Marie de Magdala, Zachée, le larron... « Je leur donnerai, dis-tu, un nom éternel qui ne sera pas effacé » (Is 56, 5) ; et encore : « Je les comblerai de joie dans ma maison de prière... qui est pour tous » (Is 56, 7). Y a-t-il « maison de prière » plus ouverte que Jésus lui-même, élevé en croix ? Oui, ce serviteur humble, méprisé, dé-visagé, il verra la lumière, et sera comblé. Lui, en qui Dieu nous est révélé : Père, qui espère... Ce nom de « père » ici donné – par cris et larmes – à Dieu nous « signi-fie » l'espérance qui est en Dieu lui-même. Dieu est non seulement amour, mais espérance puis-qu'il engendre [1].

Ainsi ce juste justifie les multitudes... Il s'interpose comme visage filial et fraternel. Vulné-rable, face à ses bourreaux, comme il l'est à l'amour de son Père, il est ici premier né d'une multitude de visages, nous attirant dans sa prière d'intercession, d'inter-position, et déjà d'action de grâces. Certes nous ne voyons pas, il faut attendre avec persévérance ; nous gémissons inté-rieurement avec tout le cosmos en attente impatiente.

Laissons l'Esprit lui-même intercéder, et nous apprendre à prier ce thème, en vérité, à le faire eucharistie.

Frère Christophe,
Pâques 1995.

---

1. Paul Beauchamp, article cité.

Lettre circulaire de la communauté
25 avril 1995

Depuis la rencontre de Melleray, il nous a fallu continuer de durer dans la tempête, sans trop savoir ce qu'allait devenir le bateau, de plus en plus isolés comme étrangers, et aussi de plus en plus perdus dans la grande foule des gens du peuple qui ne peuvent que se taire, subir et espérer...

À deux reprises, à partir de Fès, le 13 novembre, puis le 11 avril, j'ai pu faire le point pour nos familles, et plusieurs communautés de la région, je pense, ont reçu ces messages. Inutile donc de revenir sur ce qui s'est dit là. Mais il nous faut remercier celles et ceux d'entre vous qui ont tenu à nous marquer d'un geste, d'un appel, leur sollicitude constante. Le cadeau de Noël de Mère Benoît, et un petit mot à sa façon, nous sont arrivés après sa mort. Aux heures plus doulou-reuses pour notre Église, il y a toujours eu une voix fraternelle, au téléphone ou autrement. Et chaque semaine, depuis Noël, père Étienne a continué à faire le lien. Tout cela fut précieux, surtout durant la longue absence des postes après l'interruption des vols Air France.

Les deux attentats des 23 octobre et 27 décembre ont provoqué une lourde hémorragie dans notre Église d'Alger. Sur quatorze communautés présentes à l'Ordo diocésain de 1994 en dehors du grand Alger, il n'en reste que deux. Huit autres communautés de la capitale ont fermé, plus ou moins provisoirement, dont celle des clarisses (28 moniales). Six congrégations ne sont plus représentées que par un seul membre. On comprendra mieux ainsi l'appel assez pathétique de nos évêques nous demandant, en novembre, non seulement de prendre des dispositions pour la sauvegarde des biens et des vocations en cas de départ obligé, mais aussi d'envisager la composition d'un petit noyau de permanents destiné à assumer, quoi qu'il arrive, une présence d'Église autour de ses pasteurs. Une façon poignante de nous dire : « Vous voulez partir vous aussi ? » En communauté, nous avons d'abord eu le sentiment très vif d'être appelés ensemble à faire partie de ce « noyau », aussi longtemps que notre environnement le permettrait.

Il a été plus difficile d'accepter de laisser derrière soi l'un ou l'autre frère volontaire pour cette mission. Le vote, acquis à une bonne majorité, donne bien à ce maintien le sens de notre désir unanime de revenir en Algérie dès que les conditions le permettraient. Un autre vote prévoit que la communauté se retrouverait au bout d'un an pour évaluer la situation et prendre, si possible, les moyens d'un regroupement. Deux frères se sont déclarés personnellement disponibles pour cette permanence solitaire. Dans tout ce débat si insolite, nous avons eu comme le sentiment d'un dialogue en direct entre une vocation d'Église et nos appels personnels. Allions-nous priver notre Église, au moment où elle n'est plus que l'ombre d'elle-même, de ce charisme monastique où elle a toujours reconnu un trait essentiel du visage d'elle-même qu'elle croit pouvoir donner en milieu musulman ?

Notre évêque, Mgr Teissier, est venu lui-même, les 15 et 16 décembre, accompagner ce questionnement. Au cours d'une visite en règle, il a reçu chaque frère, puis participé à un débat communautaire, avant de nous laisser une synthèse de ses réflexions. Ce regard extérieur, attentif et bienveillant, a pu compenser un peu l'absence d'une visite régulière dont nous éprouvions tous le besoin. Il nous a dit, entre autres, dans sa « carte de visite » :

« Vous soulignez d'abord le sens de votre célébration eucharistique et de votre prière communautaire vécue de l'intérieur de cette crise, en communion avec un peuple qui souffre... Vous êtes conscients aussi de ce que le dépouillement exigé par la situation centre votre vie religieuse sur l'essentiel... Vous reconnaissez la nouvelle profondeur des liens établis avec votre environnement algérien dans cette situation de grande tension. Celui-ci n'a pas été jusqu'à présent victime des mêmes désordres et des mêmes attaques que les familles des villages avoisinants. Il y a toutes raisons de penser que ce fait est dû à votre présence qui semble avoir évité à vos voisins les excès des deux bords... Vous restez conscients de la précarité de votre présence qui peut évidemment, à chaque moment, être remise en cause soit du fait des forces de l'ordre, soit par un changement d'attitude des groupes armés, soit en raison des nouvelles exigences qu'ils pourraient formuler. Mais, tout ceci étant pris en compte, il semble que vous assumez dans la sérénité cette situation, considérant même qu'il vous est possible de durer ainsi si aucun élément grave ne vient changer les données. » (J'ajoute que les moyens de la durée passent par les temps de recul et de détente ajustés à chacun.)

À l'entrée du carême, nous avons pris le temps d'un long partage sur le thème : « Depuis dix-huit mois, quels changements en nous et entre nous ? » Apparemment rien n'est changé : mêmes lieux, mêmes personnes ! Et cependant... tandis que nos caractères restent les mêmes, avec leurs charmes et leurs aspérités, il y a entre nous comme une qualité neuve d'harmonie et d'acceptation mutuelle. Nous sommes parvenus à une plus grande capacité d'écoute, grâce à l'urgence prenante des décisions à élaborer, et dans l'évidence qu'il nous faut avancer ensemble pas à pas, dans la foi. Avec, après coup, le sentiment très fort d'avoir été bien inspirés, et comme accompagnés. Le danger est là, au quotidien, diffus ; chacun le sait, le sent, pour lui, pour tout l'environnement. L'action de grâces est elle aussi quotidienne, et elle intègre aisément tous les exemples que nous recevons.

L'absence quasi totale d'hôtes et le départ généralisé des chrétiens nous affectent, c'est sûr, mais nous provoquent à un surcroît d'attention à tous nos visiteurs et voisins algériens. « J'aime beaucoup cette immersion dans le petit peuple », dit l'un d'entre nous. Et quand nos « frères de la montagne » viennent consulter notre frère médecin, nous nous sentons nous aussi appelés à exercer un charisme de guérison entre tous, en nous efforçant d'accueillir chacun plus loin que la violence dont il serait complice. Il y a quelque chose à désarmer en nous aussi.

Certitude que Dieu aime les Algériens, et qu'il a sans doute choisi de le leur prouver en leur donnant nos vies. Alors, les aimons-nous vraiment ? Les aimons-nous assez ? Minute de vérité pour chacun, et lourde responsabilité en ces temps où nos amis se sentent si peu aimés. Lentement, chacun apprend à intégrer la mort dans ce don, et avec elle toutes les autres conditions de ce ministère du vivre ensemble qui est exigence de gratuité totale.

À certains jours, tout cela paraît peu raisonnable. Aussi peu raisonnable que de se faire moine...

Frère Christian,
25 avril 1995.

Homélie du frère Christian
27 avril 1995

« *Le Père aime le Fils*
et a tout remis dans sa main... »
Jn 3, 31-36.

Voilà qui nous ramène comme par la main au thème de notre prochain chapitre général qui nous a fort préoccupés, hier matin : « La communauté comme fondement, vérification, manifestation de notre contemplation », selon la formulation de père Bernardo.

On a voulu simplifier en disant : « La communauté, école de charité », et voici que nous balbutions : nous ne savons pas trop comment entrer dans ce thème-là. Sûrement parce que nous ne savons pas trop bien comment nous y prendre pour nous mettre vraiment à cette école-là.

Une école primaire, maternelle même, pour les tout-petits... et nous sommes trop grands, surtout

172

quand on se croit « supérieurs ».

Une école supérieure... et nous ne sommes pas à la hauteur ; personne parmi nous qui ait déjà reçu le titre de « docteur » à cette école-là !

Et puis, la charité, qu'est-ce que c'est ? Nous avons vérifié qu'il est plus facile de dire ce que cela n'est pas... ni « confiture », ni « gélatine », avons-nous précisé ; pas même la crème... ni exactement ceci ou cela que je fais de bien, ni même exactement ceci ou cela que je voudrais faire ; elle ne s'identifie à aucune loi, à aucun commandement, à aucune observance, même si elle les contient tous, et les accomplit.

Ne nous étonnons pas de tant d'ignorance et de balbutiements. La première école de charité – la seule vraiment –, c'est le milieu trinitaire, c'est le milieu divin. En Dieu, amour mutuel et contemplation sont parfaitement simultanés. Impossible d'en faire deux thèmes successifs pour deux chapitres généraux différents !

Le milieu trinitaire est « école » de contemplation, à la suite du Fils éternellement tourné vers le Père ; c'est même là sa forme d'obéissance (1re lecture) : Dieu obéissant à Dieu. Et le Père lui-même n'est que regard : « Il voit – il vit – que tout cela est bon. » Cœur pur du Père qui voit Dieu en tout ! en tous...

Le milieu trinitaire est aussi « école » de charité, bien sûr, école de communion, de communication, de relations. « Le Père aime le Fils, et lui donne l'Esprit, sans compter... » Cette charité-là n'est pas l'unité fusionnelle dont certains rêveraient : chacun y reste soi-même, dans la merveille d'une communauté de personnes librement et totalement accordées. Merveilleuse richesse de chacune de nos communautés !... Cette charité-là n'est pas non plus une simple unité de surface. Il y a peut-être de la « confiture » en Dieu – c'est l'œuvre de l'Esprit ! –, mais jamais seule. Saint Jean nous dit surtout qu'il y a du pain en Dieu ; c'est plus substantiel ! Ce qui se cherche entre nous, dans nos communautés, n'est pas à fleur de peau, ni même à fleur de cœur. Nous finissons par savoir que ça nous tient profond !

Ainsi, il n'y a de contemplation possible que là où il y a ouverture à la communauté de vie, à la communion, à la famille humaine tout entière... Et il n'y a communauté possible que là où il y a disponibilité à la contemplation des merveilles de Dieu cachées en chacun, des signes de l'Unique qui s'écrivent sur nos visages comme autant de différences promises à la communion des saints. Même s'il faut encore que, pour peu de temps, cela nous soit difficile à voir.

Tamié, 27 avril 1995,
jeudi de la deuxième semaine de Pâques.

Comment, dans la situation présente,
rejoignons-nous le charisme de notre Ordre ?
21 novembre 1995

Ces deux années tourmentées ont-elles marqué
une dérive ? Nous ont-elles obligés à composer, à
transiger un peu en marge de notre charisme ?

Notre réflexion communautaire sur ce thème
proposé à l'Union des supérieurs majeurs des
diocèses d'Algérie (USMDA) – marquée par
l'écoute de chacun suivie d'un échange très libre
– nous a surtout montré que ce charisme est un
don de Dieu sans repentance.

Nous l'avons redécouvert entre nous, comme
un vivant exigeant et non point figé, capable
d'entretenir la fidélité à l'Évangile qui nous est
demandée actuellement, dans ce pays durement
marqué par le terrorisme, la répression, une crise
d'identité et un appauvrissement très sensible de
notre environnement immédiat.

Des expressions diverses pour essayer de dire
un même charisme vécu ensemble,
à Tibhirine, aujourd'hui...

Présence

« Assurer une présence, non pas missionnaire apostolique, mais contemplative et priante en milieu musulman, grâce à une communauté stable, unie et fraternelle, laborieuse (avec les associés). »

« Présence discrète, mystérieuse, séparée du monde et en communion avec les personnes, humblement attentive aux besoins matériels et spirituels de ceux qui nous entourent. »

« Portant le fardeau les uns des autres... participant ainsi aux souffrances du Christ, et à la mission de l'Église... avec l'espérance du Royaume » (Const. 3).

Signe

« *Ora et labora...* être ensemble un signe d'Église, invisible pour le monde, mais visible pour nos voisins. Témoins d'une paix, d'une fraternité possibles, par grâce de Dieu, à travers nos diversités. »

L'association dans le travail reste un élément capital de notre insertion et de notre relation au voisinage. Et bien sûr, notre frère médecin est lui-même signe.

Contemplation...

... en chemin : un chemin communautaire vers l'expérience contemplative de l'union à Dieu. Dans la ligne de ce qu'exprimait Thomas Merton : « En fait, le moine n'existe pas pour préserver quoi que ce soit, même pas la contemplation ni même la religion... La fonction du moine de notre temps est de se maintenir lui-même vivant par son contact avec Dieu... Les moines doivent être comme les arbres qui existent silencieusement dans l'obscurité, et qui par leur présence purifient l'air. »

Bonheur

Une grande joie inaltérable, avec la certitude que Dieu nous a appelés non seulement à vivre la vie monastique, mais à la vivre ici, à Tibhirine, et que c'est aussi vrai aujourd'hui.

Un discernement de vocation continue de se faire « sur le tas », et à travers la situation : deux frères ont pris récemment des options impliquant de ne pas poursuivre ici, soit en retournant dans la vie laïque, soit en rejoignant un autre monastère (l'un était profès temporaire et l'autre novice). Le bonheur ici est risqué, mais vrai. Il se goûte dans la persévérance.

Et l'Ordre ?

Nous nous savons soutenus silencieusement par la prière de bon nombre de sœurs et de frères.

Des communautés, des supérieurs, ont su nous exprimer leur réelle et constante sollicitude. Une visite nous aurait fait du bien. À l'heure des choix difficiles, l'Église locale a été notre recours (évêque, curé de Médéa, amis...).

Nous trouvons toujours auprès de nos frères de Fès (Maroc) compréhension, prévenance, et disponibilité à nous accueillir si nécessaire, ne serait-ce que pour changer d'air.

Un charisme d'Église enfoui en terre humaine, à Tibhirine

Notre Église a été durement secouée, surtout dans notre diocèse d'Alger. Réduite, meurtrie, elle fait là l'expérience abrupte du dépouillement et de la gratuité inscrits dans l'Évangile comme en chacune de nos vocations à la suite de Jésus. Vulnérable, fragile à l'extrême, elle se découvre aussi plus libre et plus crédible dans son vœu « d'aimer jusqu'à l'extrême »...

Remarque préalable

Depuis deux ans, le charisme monastique ne nous paraît ni plus facile ni plus difficile... On est sans doute acculé à plus de vérité et d'humilité face à la réalité du vécu. Par contre, la situation si difficile pour les gens de tous bords nous provoque et nous stimule, tout particulièrement au niveau de la prière et de la pauvreté.

La vie continue...

Expérience très forte de l'ajustement de notre régularité monastique aux bouleversements actuels qui tendent pourtant à tout déstabiliser. Il y a place, dans cette incertitude, pour notre façon quotidienne d'exprimer l'espérance : moines cénobites, nous vivons en communauté. C'est là un soutien pour chacun, et un remède aux inévitables fantasmes. L'épreuve affrontée ensemble a resserré nos liens mutuels, et nous fait aller plus loin dans la concertation et le dialogue, pour rejoindre ensemble les assises de notre appel et prendre des options acceptées de tous. Le charisme de l'autorité et le mystère de l'obéissance ont été mis à l'épreuve, et ils ont fait leurs preuves ; ils ont pu grandir et se purifier dans une mutuelle dépendance.

Équilibre en tension

Le charisme comme orientation se concrétise donc dans et par un cadre de vie assurant un équilibre. Et cet équilibre n'a pas été sensiblement perturbé (l'eût-il été, aurions-nous pu tenir ?).

Toutefois, des tensions apparaissent : du fait de notre petit nombre, la multiplicité des occupations risque d'empiéter sur la prière ou le temps de la *lectio*. Les sollicitations plus graves et plus insistantes de la part de notre entourage, nous laissant démunis et impuissants, exigent de nous un surcroît de silence et de recueillement.

Une « offrande de vie » en éveil

Présence de la mort. Traditionnellement, c'est une compagne assidue du moine. Cette compagnie a pris une acuité plus concrète avec les menaces directes, les assassinats tout proches, certaines visites... Elle s'offre à nous comme un test de vérité utile, et pas très commode.

Après Noël 1993, tous nous avons rechoisi (rechoisi) de vivre ici ensemble. Ce choix avait été préparé par les renoncements antérieurs de chacun (à la famille, à la communauté d'origine, au pays...). Et la mort brutale – de l'un de nous, ou de tous à la fois – ne serait qu'une conséquence de ce choix de vie à la suite du Christ (même si ce n'est pas directement prévu comme tel dans nos constitutions !). Notre évêque nous invite souvent, par la parole et par l'exemple, à nous laisser ainsi renouveler au fondement même de notre « offrande de vie ».

La note d'espérance

Elle doit sortir victorieuse de tout cela. C'est elle d'abord qu'on attend de nous. Avec la patience qu'elle implique, jusque dans les détails d'une vie partagée.

Les notes, au jour le jour, du charisme de toujours : une façon quotidienne d'exprimer l'espérance à Tibhirine...

D'abord, accepter le quotidien tel qu'il est. Il nous a fallu nous efforcer sans cesse de choisir plutôt que de subir les renoncements et conditionnements imposés par les événements. Avec, autour de nous, de beaux exemples de ce courage dans les choses les plus ordinaires de la vie.

Prière

Une exigence plus forte encore : être plus livré à Dieu et à la prière d'intercession. « Faire monter en soi le niveau de foi-espérance-charité, c'est le faire monter dans le milieu où nous vivons. Et c'est notre façon d'apporter une solution à la crise du pays. »

« Ma prière ? Qu'en dire ?... mais il y a la prière de Jésus. Et son silence quand " leur bouche accapare le ciel " ! » « Il me semble qu'ici j'ai reçu l'action de grâces, la louange, peut-être aussi l'adoration (*cf.* la réflexion d'un voisin en décembre 1993 : " *El hamdulillah* que vous soyez encore en vie ! "). J'ai beaucoup reçu du *Ribât*... »

Certains éléments de notre régularité trouvent là un regain de signification et d'intensité : la priorité d'une vie dans la foi, privilégiant la nuit... les psaumes, à l'office, et souvent les lectures de l'eucharistie. Certaines étapes de l'année liturgique, certaines fêtes (Noël, Ascension...).

Lectio divina

Dans la nuit, prendre le Livre quand d'autres prennent les armes. « En janvier 1994, j'ai lu autrement l'Apocalypse. Je goûte les psaumes 93, 123, etc. " Dieu briseur de guerre ", ici (*cf.* cantique de Judith). La lecture à Vigiles du Livre des Juges, ou de la conquête de Josué, m'a donné la nausée ! »

Travail

Il s'est révélé comme un bon dérivatif de l'angoisse : avoir quelque chose à faire sans trop se poser de questions. Des risques plus grands pour certains emplois : courses, porterie, dispensaire. On le sait, et c'est accepté. Quelques consignes de prudence, mais il faut vivre. « Le travail en commun avec les voisins est l'expression d'une solidarité vécue et d'un partage de vie, dans un climat d'amitié qui désamorce les peurs. Les gens n'ont pas peur de nous fréquenter comme par le passé, et davantage encore. Nous nous faisons mutuellement confiance. » « Le travail au jardin et avec les associés : des travaux pratiques d'espérance ! »

Accueil : un espace de miséricorde et de compassion

Déplacement de l'hôtellerie vers la porterie. En

effet, l'accueil à l'hôtellerie est quasi inexistant depuis deux ans maintenant. L'hospitalité s'exerce à l'égard du voisinage « tous azimuts ». De bien des façons : partage matériel, services à rendre, écoute liée à l'épreuve : espoirs, soucis, peines, angoisses, drames familiaux, tout y passe. Sollicitude, compréhension, compassion... le médecin en sait quelque chose !

Séparation du monde : un Évangile de la différence

La solitude est toujours au rendez-vous, avec des lieux nouveaux, la liturgie par exemple. Et puis, dans la ligne de ce qui nous « sépare », il nous a fallu rester fermes dans notre refus de nous laisser identifier à l'un ou l'autre camp, rester libres pour contester pacifiquement les armes et les moyens de la violence et de l'exclusion. Rester ce que nous sommes dans ce contexte, c'est annoncer concrètement un Évangile d'amour pour tous qui implique le respect de la différence. Celle-ci est une vraie bonne nouvelle !

La proximité accrue de nos voisins, et leur acceptation de ce que nous sommes, nous font accueillir d'eux le même message. Un bonheur fait pour grandir !

Lien spirituel avec l'islam

Il est moins exprimé, moins visible : nos rencontres (*Ribât*, par ex.) sont un peu en veilleuse. La référence commune à Dieu passe davantage par nos associés, par le voisinage, à travers le respect qu'ils ont de notre état, et le recours à notre intercession que beaucoup sollicitent. Réel besoin de se savoir ensemble entre les mains de Dieu... et de s'aider à discerner ce que Dieu veut, comme ce qui ne peut pas être de lui.

Équilibre économique

Il nous faut continuer d'en chercher un autre, comme la plupart des foyers. L'hôtellerie assurait un bon fonds de roulement... Nous devons compter davantage sur le jardin et ses dérivés (*cf.* saint Benoît : « Ils seront vraiment moines quand ils vivront du travail de leurs mains »).

Mais notre petit nombre, l'âge pour certains, et les tâches non lucratives mais nécessaires (cuisine, médecine, porterie...) ne permettent pas d'escompter un équilibre budgétaire strictement financé par le travail. La pension des anciens et les dons font l'appoint, y compris pour les aumônes, plus nécessaires que jamais. « Ces besoins accrus des pauvres nous provoquent à un train de vie humble, modeste, et au partage des soucis... » « Notre présence d'Évangile devient une obligation à l'égard de ceux qui nous entourent. »

Protection de la nature

Le processus de dégradation, largement entamé par l'insouciance populaire face aux biens de l'État, s'est encore accentué sous l'effet de la violence. « Frères de la montagne » et « frères de la plaine » rivalisent dans la destruction : les uns s'en prennent aux unités de production ; les autres aux forêts et à tout ce qui peut servir de cache, y mettant le feu. Jusqu'ici notre espace de verdure a été respecté, et nous nous efforçons de l'entretenir. Les gens aiment à y respirer... Nous les invitons à semer, à planter, à respecter les fleurs et les fruits verts. La paix germe dans cette contemplation de la création. Notre frère Robert, exilé de sa montagne, tient une bonne place dans ce soin amoureux de la nature.

En conclusion

Nous pensons rester fidèles au charisme monastique de notre Ordre en cherchant à nous maintenir dans un équilibre difficile entre partage de l'épreuve et présence à Dieu. « C'est capital. Il nous faut tenir les deux bouts de la chaîne, en qualité, en intensité. » Quelqu'un qui aimait venir prier avec nous autrefois, et qui a dû maintenant s'éloigner, nous dit conserver de nous une image qui lui parle de notre aujourd'hui : « Près de la Vierge, à l'entrée de la chapelle, un moine (notre ancien frère Aubin qui était portier) distribuant l'eau à longueur de journées... »

Tibhirine, 21 novembre 1995,
présentation de Marie au Temple.

Lettre circulaire de la communauté
14 décembre 1995

Chers parents et frères,
amis et proches de partout...

Pourquoi ne pas commencer avec la parole du cantique qui concluait notre précédente chronique (Avent 1993) « Elle tient appuyée sur son Bien-Aimé » ? Tenir à lui nous tient ensemble, et nous fait rester ici, maison de sa prière et de sa paix, à Tibhirine, en Algérie, aujourd'hui, et aussi à Fès, bien sûr, chaque jour. En tout ce temps, il s'en est vu, des « choses » ! Comment vous en parler ?

Il faut d'abord se taire, longtemps. Entendre la clameur des « choses » non dites, cachées, étouffées, refoulées, déformées... Se laisser transpercer. Se tenir debout. Un calvaire à partager. Une table aussi, préparée pour tous, où l'espérance apprend, jour après jour, à se nourrir de ces « choses »-là qui nous arrivent, à boire en frères à cette coupe-là qu'il nous était plus facile d'écarter que de choisir.

Des choses simples...

À tout seigneur, tout honneur : le soleil ne cesse de se lever – bienveillant infiniment – « sur les bons comme sur les méchants ». Dans la nuit, nous guettons. Il vient nous visiter, nous mêler à son combat de lumière et « guider nos pas au chemin de la paix ». Quant à la pluie, elle tombe aussi sur les « justes et les injustes ». Grâce à eux, les semences posées en terre dans les jardins sont devenues, pour le bonheur et l'honneur de nos associés, tomates, haricots verts et rouges, courges et courgettes, navets et pommes de terre... Et les arbres du verger ont porté leurs fruits, chacun selon son espèce, et sa saison. Mohammed le gardien est dit désormais *gîrâ* (entendre « gérant »). Ces jours-ci, le voici laboureur, alors qu'un chantier de peinture l'attend au-dedans. Moussa – un homme ouvert – s'enracine entre verger et potager et « divers », nous communiquant son parti pris de joie : « Courage ! » est quasi son mot de passe et sa résolution d'humanité. Connaissez-vous l'un des surnoms de Ben'Ali ? Regardez-le travaillant à son jardin : il se déplace si vite sur le terrain, tantôt traçant une seguia [1], tantôt sarclant ses oignons ; on l'appelle « Maradona » !

---

1. Canalisation à ciel ouvert servant à l'adduction et à la distribution d'eau.

Ben'Aïssa, quant à lui, rêve de tourniquets pour l'arrosage, de *jiyât* (pluriel inculturé de *jet*). Entre lui et frère Paul, le maître des eaux, le mot devient geste – tournant évidemment – de tendre complicité. L'an prochain, *inch'Allah* ! Oui, « la terre entière est remplie de ton amour » : *El hamdu lillah* ! Alleluia !

De Fès, le bulletin météo nous vient plus sec : « Printemps, été, une grande sécheresse, une chaleur brûlante, ruinant tous les essais de cultures. La présence d'un puits creusé dans notre jardin fait de nous des privilégiés. L'eau, bien irriguée par les soins de Thami, notre jardinier, a permis tout de même quelques beaux légumes et fruits. Enfin, avec ces premiers beaux jours de décembre, voici un peu de bonne pluie pour semer partout l'espoir. »

Des choses belles...

À Fès toujours, frère Bruno entretient jalousement ses parterres multicolores. Si le cœur vous en dit, venez aussi faire un tour dans notre parc, à Tibhirine. Des fleurs vous parleront. Une allée soigneusement entretenue accueillera vos pas. Peut-être vous exclamerez-vous, comme cette famille algéroise venue pour un mariage : « Comme c'est paisible ! » Ici travaille Robert, encore en exil parmi nous. Serviteur zélé et attentionné de la beauté de ce lieu. De la terrasse, son regard et son cœur s'échappent vers la montagne d'en face, l'Atlas, où son ermitage lui cligne de l'œil, désolé. Ainsi la beauté résiste, et tient tête à tout le gâchis d'alentour : forêts incendiées, arbres arrachés, destructions sauvages... « Ta force, Seigneur, enracine les montagnes ! » À nos voisins et visiteurs étonnés que nous n'ayons ni TV ni parabole, nous montrons l'Atlas : cette chaîne unique – en couleur, en relief, et 24 heures sur 24 – suffit à notre regard qui ne s'en lasse pas.

Les choses difficiles (dura et aspera)

Le plus dur, c'est la mort qui frappe l'autre. Dans son livre *L'honneur de la liberté*, Jacques Sommet décrit la « vie » à Dachau : « L'image de la mort envahit tout massivement. Ce ne sont plus seulement des individus qui meurent ; tout le corps humain collectif devient chaque jour plus mortel. » Oui, c'est cela.

Noël 1994 : On se souvient de Noël 1993, tout étonnés d'être là encore, auprès de l'Enfant que sœur Odette vient de déposer symboliquement dans son nid de paille. Avec elle, sœur Janet, et aussi Gilles, Robert, Fernand, les tout fidèles (l'explosion d'un train a retenu Dominique). C'est tout... mais il y a ces « bergers » du voisinage qui veillent à l'hôtellerie, prêts à nous y faire place et fête après la messe de minuit.

Depuis la veille, il y a cette angoisse autour de l'Airbus d'Air France pris en otage ; deux passagers étrangers vont être exécutés, froidement. Le 26 au soir, c'est l'assaut à Marseille, et la délivrance, avec la mort des quatre terroristes. Le lendemain à midi, quatre d'entre nous, pères blancs à Tizi-Ouzou, sont assassinés. Toute une communauté... Émotion considérable en Kabylie, et dans notre petite Église. Deux mois auparavant, c'étaient nos sœurs Esther et Caridad, un dimanche, au seuil de l'eucharistie : « Deux femmes qui allaient vers Dieu demander grâce... », écrit Saïd Mekbel dans un éditorial bouleversant de son journal *Le Matin*, peu avant d'être lui-même victime de l'intolérance, comme tant de ses confrères et consœurs de la presse algérienne.

1995 : Voitures piégées, explosions sauvages, meurtres, représailles... le deuil s'installe, accompagné de peurs, de rejets. La méfiance, la haine voilée, rongent le tissu humain des relations. Malgré tout, la vie continue, avec les prix qui flambent, les salaires en souffrance, les transports publics détruits, sans compter les frontières fermées ; et, très concrètement, avec les risques du long chemin vers la ville quand il faut, chaque jour, aller à pied au travail, ou à l'école, et en revenir, dans la nuit et le froid. Courage de tout un petit peuple !

C'est encore dans « leur » rue, et un dimanche, après l'eucharistie, le 3 septembre, que sont assassinées nos sœurs de Belcourt, Bibiane et Angèle-Mary. Et puis, si près de nous, le 10 novembre, en chemin vers l'eucharistie, c'est Odette, avec Chantal à ses côtés, grièvement atteinte (elle se remet doucement de ses blessures). Toutes deux étaient venues célébrer Pâques avec nous. Comment fêter ici la résurrection du Seigneur sans la foi et le courage de « quelques femmes qui sont des nôtres » (Lc 24) ? Elles s'étaient annoncées pour Noël... Pour la troisième fois, notre *Ribât* est meurtri : Henri, Christian (Chessel), Odette.

Impossible d'oublier, de tourner la page : elles et ils ne sont pas morts pour rien. Le Christ a tant aimé les Algériens qu'il a donné sa vie pour eux. Et les nôtres à sa suite. Nous avons bonne mémoire pascale ! C'est là bien sûr que notre cœur endolori retrouve tant d'autres visages aimés. Parmi lesquels, plus récemment : Mère Benoît, d'Échourgnac, qui ne savait qu'inventer pour nous soutenir, et aurait bien accepté d'être la première moniale de l'ordre à nous visiter. Le père Youakim Moubarac, si désarmant dans son attachement à ce que nous sommes, ici comme à Fès. Le père de frère Christophe, qui savait délicatement nous manifester la même sollicitude qu'à ses douze enfants. Et Denis, notre frère votif, tenace et passionné jusqu'à la fin dans son rude combat contre le sida. Gisèle aussi, la « mamy » de Berdine, un peu terrible, toujours prête à tout donner. Et encore Mustapha, un voisin, né pauvre, mort plus pauvre encore, si démuni et si touchant dans son souci pour sa grande fille handicapée. Parmi nos anciens, frère Cyprien, originaire de Tunisie, entretenant à Aiguebelle le souvenir fidèle de son séjour ici, entre 1967 et 1974. Il nous semble que le ciel s'emplit de nos amis : de bien précieuses relations ! Plus encore que la menace, leur mort nous familiarise avec la nôtre. Nous voici plus sereins de lui trouver le goût rassurant de la vie.

Pour ces choses « dures et contraires », il faudrait encore interroger notre frère médecin, et son lourd secret. À certains jours, on voit bien qu'il ne sait plus où donner du cœur. Les portiers s'efforcent de le compléter, conscients que l'accueil leur incombe en quasi-totalité depuis que l'hôtelier a été placé en chômage « technique ». Et ces hôtes du seuil ne manquent jamais, avec leurs détresses et leurs confidences à recevoir. Pour toutes ces « *dura et aspera* », saint Benoît invite la conscience à embrasser la patience. On s'y entraîne les uns les autres.

Les choses bonnes...

Chaque jour, sur notre nouvel autel venu de Bab el-Oued après la fermeture de la fraternité des Petites Sœurs de Jésus, Parole et Pain. C'est un bonheur de les recevoir, et de les goûter ici : saintes « choses », et Présence sûre.

Remontant du jardin, d'autres très bonnes

« choses » nous sont amoureusement préparées par nos deux cuisiniers, le toubib et son assistant, frère Michel. Dans la nuit du jeudi au vendredi, frère Luc trame son complot fraternel : abondance de frites à la table commune. Gilles vient régulièrement nous les disputer. Notre boulanger sait lui aussi trouver l'occasion de nous gâter par quelque douceur... de surcroît. Zohr, quand elle peut venir en consultation, continue de nous préparer kesra, couscous, ou « tommina » ; elle redescend autrement chargée...

Et quand un mariage vient réjouir, malgré tout, le cœur de nos voisins, on ne manque pas de nous associer à la fête : « 'Aïdnâ, aïdkum ! » (Notre fête est votre fête !). Dans ses courses à Médéa, au rythme imperturbable, frère Jean-Pierre reçoit toujours bon accueil auprès des commerçants : « Encore plus gentils et aimables », assure-t-il.

En l'absence d'hôtes (Que sont les chrétiens devenus ?), nous apprécions d'autant plus les visites régulières de notre archevêque, le père Teissier, et de quelques fidèles (sœur Anne-Geneviève de Grandchamp, par exemple) plus audacieux (certains disent « téméraires ») ; ils sont souvent véhiculés par notre curé dont l'ordinateur peut tout enregistrer sauf les liens qui nous attachent à lui. Le téléphone permet à d'autres de nous rejoindre : nos familles, des monastères de la « région », des « anciens » d'Algérie passés outre-mer par la force des « choses » mauvaises.

Le courrier fonctionne aussi, avec ses délais un peu décourageants (jusqu'à deux ou trois mois cet été, pour venir de France !) À travers tout cela, nous nous sentons reliés, entourés de prière et d'amitié. C'est un vrai bouclier, nous dispensant heureusement de tout autre système de défense. « Nous et vous, on est ensemble dans la main de Dieu », dit la foi de nos voisins. Que chacune et chacun trouve ici notre très profond merci !

Pour frère Michel, ce fut chose excellente que de pouvoir, après cinq ans et plus, revoir sa famille et « nos » frères de Bellefontaine (tellement nôtres, chaque semaine !) et ceux d'Aiguebelle, ainsi que ses frères du Prado à Marseille. Les séjours faits à Fès relèvent assurément de la même rubrique. Et là, nous laissons la parole à nos frères marocains : « Notre année a été d'abord marquée par la venue de quelques-uns de nos frères de l'Atlas.

De la mi-janvier à fin mars, frère Célestin, tout en se reposant pour recouvrer une santé bien éprouvée, nous a beaucoup aidés pour améliorer notre office.

Frère Christian, notre prieur, a voulu célébrer avec nous la Semaine sainte et la Résurrection du Seigneur : célébrations renforcées par la participation du noviciat des Petites Sœurs de Jésus (qui nous rajeunira encore durant l'automne). Le lundi de Pâques, ce fut la fête du jubilé de P. Jean-de-la-Croix : cinquante ans d'une vie monastique engagée à Notre-Dame-du-Désert.

« Au mois de mai sont arrivés frère Christophe, et puis frère François venant d'Orval, en Belgique, où il poursuivait son noviciat pour l'Atlas. Il nous a accompagnés avec sa kora jusqu'au 15 août. Christophe, parti fin juin, était remplacé par frère Paul pour un mois, le temps de goûter avec nous la grosse chaleur, et de faire quelques « bricoles » appréciées.

Durant toute cette période, frère Philippe demeurait plutôt à Meknès, pour des études d'arabe. Tous ces frères nous ont beaucoup apporté, chacun avec son charisme propre. Leur présence concrétisait très fort notre lien avec la communauté de l'Atlas, et aussi avec le peuple d'Algérie en grande souffrance. »

Et enfin, les choses… à suivre

C'est encore Fès qui s'exprime pour signaler deux autres faits marquants :

« D'abord, la clôture du synode du diocèse de Rabat, après deux années synodales construites sur le thème : " Quelle Église, aujourd'hui, au Maroc ? " Notre archevêque, Mgr Hubert Michon, avait écrit aux trois communautés monastiques présentes au Maroc pour confier à leur prière cette démarche de l'Église diocésaine. Frère Bruno et frère Guy ont participé à la grande assemblée du peuple de Dieu, le dimanche de Pentecôte, où furent proclamés les actes du synode. Et puis, en cette fin d'année, Dom Armand Veilleux est venu de Rome comme délégué de notre abbé général (et du père immédiat par intérim, Dom Rémi, de Port-du-Salut) pour faire la visite régulière de notre communauté, annexe de Notre-Dame-de-l'Atlas où il doit se rendre en janvier prochain. Un temps où chacun se pose à nouveau la question : " Pourquoi suis-je venu ici ? " C'est le temps des recommencements. Notre prieur est revenu à cette occasion, et nous poursuivons avec lui cette grande révision de vie. Il nous quitte, au premier dimanche de l'Avent, et nous entrons alors en retraite, avec la conscience de vivre un long temps de grâce. Où personne n'est oublié. »

À Tibhirine, les « choses à suivre » relèvent assurément de l'espérance. À ce titre, nous vous les confions. Au début de l'été, ce fut le départ de notre frère Philippe, profès temporaire, après neuf années d'un parcours compliqué durant lesquelles il avait pris, parmi nous, une place bien à lui. Il poursuit ses études d'arabe au Maroc en visant le certificat d'aptitude au professorat de l'enseignement du second degré (CAPES). Et puis, frère François, à l'issue de son séjour à Fès, a choisi de continuer de s'enraciner dans la vie monastique en Belgique. La Pologne et le Zaïre nous offriront-ils quelque renfort ? Il nous est donné d'y croire.

Disons aussi que le jumelage avec Berdine est sûrement contrarié par les événements ; mais frère Jean-de-la-Croix a pu y faire son séjour, cet été, et les frères de Fès ont été heureux d'accueillir Éliane.

Les santés des uns et des autres, ici, sont assurément... à suivre. Phlébite de frère Célestin en août, et hospitalisation sur Médéa ; grosse fatigue de frère Luc, avec la chaleur ; début de pneumonie de frère Amédée, avec l'arrivée du froid... À part cela, « là-bas ! », « pas-de-mal ! » Donc, ça va, grâce à Dieu ! La vie difficile pour les plus pauvres de notre environnement relativise grandement nos ennuis et nos soucis.

L'élection présidentielle du 16 novembre et la campagne électorale qui a précédé, effectivement pluralistes l'une et l'autre, ont marqué une étape importante et inespérée pour notre voisinage comme à travers tout le pays. Cette large participation au vote fut d'abord une parole libre et courageuse de tout un peuple : refus pacifique de la violence d'où qu'elle vienne ; désir majoritaire d'avancer vers une vraie démocratie par des voies neuves ; témoignage sous nos yeux d'une identité algérienne qui se cherche et mûrit, notamment dans sa relation à l'islam.

N'est-ce pas là un premier pas, fragile mais réel, vers un avenir réconcilié de justice et de paix pour tous ? Notre présence laborieuse et notre prière silencieuse se veulent accompagnement dans l'épreuve qui dure, comme dans l'espérance...

Nous vous souhaitons un Noël de confiance et de joie, et, pour faire une année de vrai bonheur, nous accueillons avec vous cette parole de vie de notre sœur Odette (à la rencontre du *Ribât* de la Toussaint 1994) : « La fidélité demandée est celle du moment présent. Dieu ne nous donne que ce moment-là pour vivre pardon, amour, espérance et paix. »

Vos frères de Notre-Dame de l'Atlas, ici et là,
en la mémoire de saint Jean de la Croix,
14 décembre 1995,
deuxième anniversaire de l'assassinat
de nos douze frères croates chrétiens
au village voisin de Tamesguida.

Espérance à perte de vie
janvier 1996

« Alors Dieu dit à la victime : tu es mon fils.
À nous de nous y reconnaître »
Jean Grosjean,
L'Apocalypse, p. 71.

Liturgie d'espérance

Vigiles, le 4 septembre. C'est d'abord, dans la nuit, avant le début de l'office, le fait brutal faisant irruption, là devant nous, aussi réel que l'autel, aussi vrai que la croix. Christian a simplement dit : « Deux de nos sœurs ont été assassinées, hier soir, à Belcourt : sœurs Bibiane et Angèle-Marie, de Notre-Dame-des-Apôtres. »

L'office est ouvert. Il nous faut alors poser ensemble l'acte de croire, l'acte de chant : donner voix au Verbe assassiné : « Seigneur, ouvre mes lèvres ! Seigneur, ouvre... Seigneur...! « Et ma bouche publiera ta louange ! Louange : le jour, la nuit. Un jour, il n'y aura plus de nuit » (Ap 22).

Alors nous nous sommes laissé prendre aux mots de l'hymne (nous faisions mémoire, ce 4 septembre, de saint Moïse, comme à Jérusalem) :

Ceux-là que fascinait la flamme du buisson,
Ont trouvé place près de toi dans ton royaume.
Ils cherchaient ton visage.
Ils le voient tel qu'il est ;
Leur désir te contemple, et devient communion.

La veille, dans l'Évangile, tu disais : « Prendre la dernière place. » Et ce fut ainsi pour Bibiane et Angèle. Elles venaient de prendre place à la table, tout près de toi. Dans la rue, tout près du peuple, comme au long de leur vie, elles n'ont voulu prendre la place de personne, mais simplement ne pas laisser vide ta place de serviteur et d'ami.

Et nourriture d'espérance

Après les Vigiles de ce lundi ordinaire, je lisais « Dévoilement de Jésus Christ... » (Ap 1, 1). Oui, ce qui est arrivé hier, ce qui arrive chaque jour, c'est toi : Dévoilement dans la nuit de l'histoire. C'est toi que j'espère. Viens vite ! « Espoir des horizons de la terre, et des rives lointaines » (Ps 64). C'est toi notre espérance sur le visage de Bibiane. C'est toi manifesté sur le visage d'Angèle-Marie. C'est toi, notre espérance, à perte de vie, sur le visage d'un peuple assassiné. Hier, dans la rue : manifestation d'amour.

Dans la nuit, je prends le Livre. D'autres prennent les armes. Et je lis : « Bonheur de lire et d'entendre les prophéties et d'en épier le texte, puisque c'est le moment : en marche les lecteurs ! » (Ap 1, 3).

Chemin faisant, j'ai rencontré ces mots de Qohéleth : « Mais il y a de l'espoir, pour celui qui est lié à tous les vivants » (9, 4).

Au réfectoire, ce fut le dalaï-lama qui nous disait, ce 4 septembre : « Je voudrais partager avec mes lecteurs une brève prière qui m'est une grande source de courage et d'inspiration :

> " Aussi longtemps que durera l'espace
> Et tant qu'il y aura des êtres vivants,
> Que je subsiste, moi aussi,
> Pour chasser la msère du monde ! " »
> (*Au loin la liberté*, p. 379).

Dans la vie commune, et au jardin, il s'agissait encore (ensemble) d'espérance : Travaux pratiques ! Courage ! Tu es entre nous, toi, notre espérance !

Yom Kippour : *5 octobre, à Ancône*
> Sur le visage infiniment regardé
> de mon père mourant,
> Seigneur, tu es notre espérance !

Vers toi il cherche, à en mourir, le souffle de vie.
Souviens-toi de lui, et prends-le avec toi,
aujourd'hui, dans ton royaume.

Comme hier, en Palestine,
ce groupe de priants près de la Croix,
nous sommes là, tout près du lit d'un mourant.
Et là, tout près d'un peuple souffrant,
au plus près de toi, le Vivant.

Je le regarde. C'est ton visage.
Je le contemple dans la nuit.
Et de te voir ainsi nous fait voir cet autre que,
toi, tu appelles abba ! Papa !
Dans cette relation, tout est accompli.
Tout est simple, alors nous disons : Notre Père...
et pendant ce temps-là, Pierre, ton serviteur,
te livre son dernier souffle.
La mort est vaincue. Alleluia !
Il repose en vie : merci, et oui ! Et debout, nous
avons dit : « Réjouis-toi, Marie... prie pour nous,
maintenant... et à l'heure de notre mort. »

Et encore

« *Jusqu'à quand, maître pur et vrai ?...* »
(Ap 6, 10).

Ce vendredi 10 novembre, au matin, un
conflit m'avait opposé à un frère lors d'une réu-

nion : situation sans issue. Quand la violence, par grâce en l'un et l'autre, fut surmontée, vaincue juste à temps pour nous laisser aller prier ensemble. C'est l'office de Tierce.

Christian, appelé au téléphone, nous y rejoint. Après le chant des Psaumes, il nous annonce l'assassinat de nos deux sœurs Odette et Chantal à Kouba, tout à l'heure. (NB : Il a fallu attendre trois heures pour apprendre que Chantal n'était que blessée.)

Le meurtre insistant, et la mort insupportable font à nouveau irruption dans le chœur. Ils font le vide – comme une sépulture béante, là, au milieu de nous. Larmes et silence avec tout un peuple font intercession. Christian reprend le psaume 12 que nous venons de psalmodier. Psaume re-dit. Psaume ouvert, à voix nue. Combien de temps, Seigneur ?

Combien de temps, Seigneur, vas-tu m'oublier,
combien de temps me cacher ton visage ?
Combien de temps aurai-je l'âme en peine
et le cœur attristé chaque jour ?
Combien de temps
mon ennemi sera-t-il le plus fort ?

Regarde, réponds-moi, Seigneur mon Dieu !
Donne la lumière à mes yeux,
garde-moi du soleil de la mort ;
que l'adversaire ne crie pas : « Victoire ! »
que l'ennemi n'ait pas la joie de ma défaite !

Moi, je prends appui sur ton amour ;
que mon cœur ait la joie de ton salut !
Je chanterai le Seigneur
pour le bien qu'il m'a fait.

À midi, Gilles est avec nous, pour faire eucharistie : saint Léon le Grand ! Et c'est la grandeur de nos petites sœurs qui nous attire, en Jésus offert.

Dimanche 12 novembre : En ce jour du Seigneur, j'aime relire le Cantique des cantiques. C'est après Vigiles, au scriptorium. Odette m'y attend : un rendez-vous de vivante amitié. Oui, dans la nuit. Plus fort que le bruit des armes, j'entends ces mots d'amour : « Lève-toi, ma bien-aimée, ma belle. Va vers toi-même » (Ct 2).

Ces mots font vivre toujours. À condition d'être dits jusque là où l'amour est crucifié, assassiné. Il y va de l'honneur du Bien-Aimé prenant le risque de cette déclaration folle : Te voici, Odette, tu es belle ! Tu as pris mon chemin. Je suis avec toi, vers toi. Et ton peuple est mon bien-aimé. Tu es arrivée à toi. Lève-toi ! en moi. Car voici l'hiver passé... sur notre terre les fleurs se montrent... L'instant du chant arrive. Alleluia !

Frère Christophe,
janvier 1996.

Réflexions du frère Christian pour le carême,
à Alger, 8 mars 1996

Nous devons trouver dans l'incarnation les vraies raisons de notre présence pascale en Algérie. Pâques commence dès la participation de Dieu à la finitude de l'homme. Tout est pascal dans la vie du Fils. Nous devons avoir une vision large du mystère pascal. Mort et résurrection font partie du mystère de l'incarnation qui consiste à prendre l'humanité pour l'introduire dans la gloire de Dieu. Il nous faut trouver dans le mystère de l'incarnation les vraies raisons de notre présence. Dans la Pâque du Christ, la rédemption est le motif, mais l'incarnation est le mode. Après la première visite au monastère d'un groupe armé à Noël 1993, nous avons célébré la messe de minuit. Il nous fallait accueillir cet enfant sans défense et déjà menacé. À travers ces événements, nous nous sommes sentis invités à « naître ». La vie d'un homme va de naissance en naissance. Jean, l'évangéliste de l'incarnation – « et le Verbe s'est fait chair » –, était le seul disciple présent au pied de la croix. Il nous présente toute la vie du Christ comme un mystère d'incarnation. Dans notre vie, il y a toujours un enfant à mettre au monde – l'enfant de Dieu que nous sommes. « Il faut renaître », a-t-il dit à Nicodème.

Cette naissance nous est proposée dans l'Église. L'Église, c'est l'incarnation continuée. Elle n'a que nous, ici, pour continuer l'incarnation. Pour le meilleur et pour le pire.

Après la visite du groupe armé que nous avons vécue à Noël, un père abbé cistercien nous a écrit : « L'Ordre n'a pas besoin de martyrs, mais de moines. » Le courage du quotidien est celui qui nous prend le plus fortement au dépourvu. Un étudiant africain, retournant au pays pour l'été, interrogeait son grand-père pour savoir s'il devait revenir dans l'Algérie en crise violente. Réponse du grand-père : « Là où il faut lutter pour vivre, c'est là que tu dois être, parce que c'est là que tu approfondiras ta vie. »

Comment vivre ce mystère de l'incarnation ? Saint François de Sales répondait : « Il faut tout recevoir d'humeur égale. » L'incarnation nous rejoint partout. La règle de saint Benoît, dans le passage relatif au commerce, conclut ses réflexions par cette phrase de saint Paul « afin qu'en toutes choses Dieu soit glorifié ». Pour cela il faut durer dans la patience, participer par la patience aux souffrances du Christ, sans enjamber sur l'avenir qui n'appartient qu'à Dieu. Il n'y a d'espérance que là où l'on accepte de ne pas voir l'avenir. Pensons au don de la manne. Il était quotidien. Mais on ne pouvait en garder pour le lendemain. Vouloir imaginer l'avenir, c'est faire de l'espérance-fiction. Les apôtres s'inquiétaient parce qu'ils n'avaient qu'un seul pain. Ils ne comprenaient pas que cela suffisait. Nous savons qui est le pain. S'il est avec nous, le pain sera multiplié. Dès que nous pensons l'avenir, nous le pensons comme le passé. Nous n'avons pas l'imagination de Dieu. Demain sera autre chose et nous ne pouvons pas l'imaginer. Cela s'appelle « la pauvreté ». « Mon Dieu, je suis totalement pourvu de ce lien que tu veux me donner. » L'avenir appartient à Dieu qui, de toute façon, veut nous combler. Notre grande grâce, comme Église en Algérie, c'est que nous rejoignons, dans cet abandon, les jeunes de ce pays, de ce continent, qui ne voient pas quel est leur avenir. Et nous voudrions, nous, d'autres assurances ?

Nous avons à être témoins de l'Emmanuel, c'est-à-dire du « Dieu-avec ». Il y a une présence du « Dieu parmi les hommes » que nous devons assumer, nous. C'est dans cette perspective que nous comprenons notre vocation à être une présence fraternelle d'hommes et de femmes qui partagent la vie de musulmans, d'Algériens dans la prière, le silence et l'amitié. Les relations Église /islam sont encore balbutiantes, car nous n'avons pas encore assez vécu à leurs côtés. Dieu a tant aimé les Algériens qu'il leur a donné son Fils, son Église, chacun de nous. « Il n'y a pas de plus grand amour que de donner sa vie pour ceux que l'on aime. »

Frère Christian,
8 mars 1996.

Lettre du frère Luc
24 mars 1996

« Ici, la violence est toujours au même niveau, bien que la censure veuille l'occulter. Comment en sortir ? Je ne pense pas que la violence puisse extirper la violence. Nous ne pouvons exister comme homme qu'en acceptant de nous faire image de l'Amour, tel qu'il s'est manifesté dans le Christ qui, juste, a voulu subir le sort de l'injuste. »

Testament spirituel du frère Christian

QUAND UN A-DIEU S'ENVISAGE...

S'il m'arrivait un jour – et ça pourrait être aujourd'hui – d'être victime du terrorisme qui semble vouloir englober maintenant tous les étrangers vivant en Algérie, j'aimerais que ma communauté, mon Église, ma famille, se souviennent que ma vie était DONNEE à Dieu et à ce pays.

Qu'ils acceptent que le Maître unique de toute vie ne saurait être étranger à ce départ brutal. Qu'ils prient pour moi : comment serais-je trouvé digne d'une telle offrande ? Qu'ils sachent associer cette mort à tant d'autres aussi violentes laissées dans l'indifférence de l'anonymat.

Ma vie n'a pas plus de prix qu'une autre. Elle n'en a pas moins non plus. En tout cas, elle n'a pas l'innocence de l'enfance. J'ai suffisamment vécu pour me savoir complice du mal qui semble, hélas, prévaloir dans le monde, et même de celui-là qui me frapperait aveuglément.

J'aimerais, le moment venu, avoir ce laps de lucidité qui me permettrait de solliciter le pardon de Dieu et celui de mes frères en humanité, en même temps que de pardonner de tout cœur à qui m'aurait atteint.

Je ne saurais souhaiter une telle mort ; il me paraît important de le professer. Je ne vois pas, en effet, comment je pourrais me réjouir que ce peuple que j'aime soit indistinctement accusé de mon meurtre.

C'est trop cher payé ce qu'on appellera, peut-être, la « grâce du martyre » que de la devoir à un Algérien, quel qu'il soit, surtout s'il dit agir en fidélité à ce qu'il croit être l'islam.

Je sais le mépris dont on a pu entourer les Algériens pris globalement. Je sais aussi les caricatures de l'islam qu'encourage un certain islamisme. Il est trop facile de se donner bonne conscience en identifiant cette voie religieuse avec les intégrismes de ses extrémistes.

L'Algérie et l'islam, pour moi, c'est autre chose, c'est un corps et une âme. Je l'ai assez proclamé, je crois, au vu et au su de ce que j'en ai reçu, y retrouvant si souvent ce droit-fil conducteur de l'Évangile appris aux genoux de ma mère, ma toute première Église, précisément en Algérie, et, déjà, dans le respect des croyants musulmans.

Ma mort, évidemment, paraîtra donner raison à ceux qui m'ont rapidement traité de naïf, ou d'idéaliste : « Qu'il dise maintenant ce qu'il en pense ! » Mais ceux-là doivent savoir que sera enfin libérée ma plus lancinante curiosité.

Voici que je pourrai, s'il plaît à Dieu, plonger mon regard dans celui du Père pour contempler avec lui ses enfants de l'islam tels qu'il les voit, tout illuminés de la gloire du Christ, fruits de sa Passion, investis par le don de l'Esprit dont la joie secrète sera toujours d'établir la communion et de rétablir la ressemblance, en jouant avec les différences.

Cette vie perdue, totalement mienne, et totalement leur, je rends grâce à Dieu qui semble l'avoir voulue tout entière pour cette JOIE-là, envers et malgré tout.

Dans ce MERCI où tout est dit, désormais, de ma vie, je vous inclus bien sûr, amis d'hier et d'aujourd'hui, et vous, ô amis d'ici, aux côtés de ma mère et de mon père, de mes sœurs et de mes frères et des leurs, centuple accordé comme il était promis !

Et toi aussi, l'ami de la dernière minute, qui n'aura pas su ce que tu faisais. Oui, pour toi aussi je le veux, ce MERCI, et cet « A-DIEU » en-visagé de toi. Et qu'il nous soit donné de nous retrouver, larrons heureux, en paradis, s'il plaît à Dieu, notre Père à tous deux. AMEN !

Incha Allah !

Alger, 1er décembre 1993.
Tibhirine, 1er janvier 1994.

II

TÉMOIGNAGES

Un arbre qui existe silencieusement dans la nuit

par Mgr Henri Teissier, archevêque d'Alger

Nous avons attendu, depuis plus de quatre semaines, que nos frères trappistes nous soient rendus. Nous espérions toujours que cette libération arriverait. Tant que cela n'avait pas été fait, il nous paraissait impossible de vous parler d'autre chose, de penser même à autre chose. Nous n'avions rien d'autre à écrire. Et voici que les médias transmettent un communiqué qui affirme qu'ils sont vivants, mais que leur vie est toujours menacée.

Nous voulons croire, avec beaucoup de nos amis à Alger, à Médéa et partout où nous allons, que leur vie sera respectée. Nous voudrions les rejoindre alors, dans leur combat spirituel pour rester fidèles avec eux à la vocation qu'ils ont manifestée parmi nous, jusqu'en ses valeurs extrêmes, celle de l'abandon confiant entre les mains du Père, celle de la fidélité aux voisins et aux frères, eux-mêmes dans l'épreuve, celle du mystère de mort et de résurrection où s'enracinent leur baptême et leur consécration religieuse. Nous les rejoignons aussi dans cette prière intense qu'ils font monter vers Dieu, depuis le début de la crise, pour que cessent les violences et que nous soit enfin donnée la paix.

Nous avons vécu avec eux, par la communion du cœur, la Semaine sainte, portant notre croix commune et méditant cette passion du Christ où l'offrande de soi triomphe de la violence humaine et fait de l'épreuve un sacrifice pour tous. Et voici que Pâques est arrivé, et les semaines de Pâques, sans que nous puissions en goûter la joie, si ce n'est dans la foi et l'espérance que Dieu peut donner la victoire à la vie sur la mort et à la paix sur la violence. C'est une invitation à vivre le mystère de Pâques avec plus de réalisme, de vérité et de foi.

Par pudeur et par respect pour le secret de leur combat intérieur, nous n'osons pas nous exprimer à nous-mêmes ce que fut leur Semaine sainte à eux et ce qu'est maintenant leur marche pascale. Christian nous avait fait méditer par avance, lors de la récollection qu'il prêchait à Alger pendant le carême, sur la connexion spirituelle qu'il établissait entre Noël et Pâques. Pâques était déjà à Noël, nous disait-il, car Jésus vient dès les premiers instants de l'incarnation pour sauver et donner sa vie à la multitude. Noël était déjà Pâques, parce que tout partage de la condition humaine est un chemin pascal de mort et de résurrection.

Et pour eux Noël a rejoint Pâques, puisque la première visite d'un groupe armé se situait un soir de Noël 1993, et que l'autre visite, celle de leur enlèvement, a eu lieu à l'approche de Pâques 1996. Nous retrouvons sur nos lèvres cette parole angoissée de Marie-Madeleine qui ne sait pas comment croire au message de Pâques : « Femme, pourquoi pleures-tu ? Elle leur répond : " On a enlevé le Seigneur mon Maître, et je ne sais où on l'a mis " » (Jn 20, 13).

Dans leur enracinement, notre Église a été frappée au cœur. Ils incarnaient notre vocation en la poussant jusqu'à son sommet. Une vocation à vivre la fidélité chrétienne comme l'exigence d'une fraternité qui cherche des frères aussi loin que possible, même là où rien de commun n'était a priori discernable. Une vocation à vivre notre identité chrétienne jusqu'au cœur de son mystère, tout en restant proches et simples dans la relation quotidienne à des frères qui ignorent notre secret. Ils avaient placé cette vocation sur la montagne dans le silence de Dieu, le grand office de la prière de l'Église pour tous, les travaux de la vie cistercienne, et les générosités de l'accueil. Nous avions, tous, tant de joie, à nourrir notre pauvre prière et notre propre réponse à l'appel de Dieu, au cœur de leur prière et de leur hospitalité spirituelle et fraternelle.

Nous ne savons pas comment notre Église pourra encore assumer sa vocation et sa mission si le signe qu'ils nous donnaient, à Notre-Dame-de-l'Atlas, ne peut plus nous être présenté, pour un temps, ou, sacrifice plus grand encore, pour longtemps. Dans cette souffrance et dans cette attente nous sommes en profonde communion avec leurs familles qui portent cette trop grande épreuve en même temps que nous, et, aussi, avec tout l'ordre cistercien trappiste, particulièrement les monastères de leurs origines à Aiguebelle, Bellefontaine ou Tamié.

Avant leur enlèvement, ils vivaient cachés dans le lieu de leur offrande intérieure. Le monastère n'était guère connu, dans la société algérienne, que par quelques amis privilégiés ou par les habitants de Tibhirine et de Médéa. Et voici que, par leur épreuve, la vocation de leur communauté vient d'être manifestée à l'Algérie entière et bien au-delà, à travers les médias, à tous ceux qui ont reçu la nouvelle de leur enlèvement. Beaucoup ont découvert, en même temps, et le lieu caché où ils vivaient et les fidélités cisterciennes de la prière de l'office ou des solidarités paysannes qui les conduisaient au sommet de la communion spirituelle islamochrétienne. Soudain la lampe cachée dont parle l'Évangile a été mise au grand jour (*cf.* Marc 4, 21-22).

Leur frère le plus proche, le P. Gilles Nicolas, qui, de Médéa, les rejoignait en chaque occasion, nous a parlé, après la lecture de la Passion, au Vendredi saint, de leur liberté devant l'épreuve. Le chef d'un groupe armé leur avait dit à Noël, en présentant ses exigences : « Vous n'avez pas le choix. » Il ne savait pas, nous disait le P. Nicolas, que, même sous la contrainte, on peut rester libres. Je ne peux douter, ajoutait-il, qu'en acceptant de suivre leurs ravisseurs nos frères moines aient fait acte de liberté. Dans notre angoisse et notre attente, nous nous accrochons à cette conviction de Pâques. « La violence que nos frères ont toujours récusée, au milieu de ce monde où elle semble régner sans partage, ils l'ont vaincue et, nous le croyons, cette victoire de la non-violence sur la violence, elle sera reconnue, un jour, par un grand nombre. »

Et en vivant cette attente, comment mettre, devant nos yeux, meilleur symbole que cette image évoquée également par le P. Nicolas et que Christophe avait empruntée à un autre trappiste, Thomas Merton : « Les moines sont comme les arbres qui existent silencieusement dans la nuit, et grâce auxquels l'atmosphère redevient respirable. »

Plaise au Seigneur que nous puissions respirer à nouveau, un jour, grâce à eux, le grand air de Notre-Dame-de-l'Atlas. Une supplication confiée à la prière de tous.

Dans *La Semaine religieuse d'Alger*,
« Rencontres », avril 1996, p. 83-84.

C'étaient mes frères, c'étaient des moines...

par frère Philippe Hémon, moine trappiste,
abbaye de Tamié

On n'en parle pas, des moines, dans nos pays.
On n'en parle plus. D'ailleurs, est-ce qu'ils en
parlent, eux ? Quand on en voit, c'est plutôt
dans des pubs télés qui en chagrinent certains
mais que je trouve, pour ma part, plutôt mar-
rantes quoique passablement rabâchées, sur des
boîtes de camembert ou des bouteilles de bière,
dans les bacs des disquaires, et puis, pour
certains, dans les processions du Front national
aussi, malheureusement, ou, les mêmes, dans les
commandos anti-IVG, etc. Crâne rasé, profil
avantageux (ou ascétique selon les besoins),
liqueurs pour dames, business, chant grégorien...
que sais-je encore ? Un autre monde, quoi, dont
on ne sait d'ailleurs pas s'il existe encore vraiment
par ici, mais qui n'en fait pas moins fantasmer
plus d'un.

Et puis tout d'un coup on apprend ça : sept

moines français ont été enlevés dans les montagnes de l'Atlas blidéen, par on ne sait qui et pour on ne sait quoi. Il y avait donc encore des Français là-bas, au plus près du danger, pour ne pas dire carrément dedans, près de Médéa, le fief islamique de l'Algérie ! À Alger, la plupart des gens ignoraient leur présence, paraît-il. Le gouvernement français n'avait-il pas demandé à tous ses ressortissants de rentrer ?

Certains journaux ont alors insinué qu'ils n'auraient jamais pu rester là-bas sans une certaine complicité avec les « frères de la montagne » (les maquisards islamiques armés qui peuplent les reliefs de l'Atlas). Il s'en est alors fallu de peu que ces sept frères, déjà prisonniers de leurs ravisseurs anonymes, ne deviennent aussi les otages totalement impuissants des discours plus ou moins téléguidés que l'on tenait sur eux. Finalement chacun s'est quand même un peu ravisé en se souvenant que ces Français-là ne sont, en vérité, que de pauvres moines, des moines de chez nous !

Comme elle n'a pratiquement rien à se mettre sous la plume depuis leur enlèvement, parce que l'information ne filtre pas des cercles les plus restreints, de ce côté-ci comme de l'autre de la mer, la presse brode un peu autour de ces personnages énigmatiques et se renseigne où elle peut. Nous lui devons en tous cas une très grande reconnaissance de savoir une fois encore « écrire contre l'oubli », comme le dit la très belle campagne d'Amnesty international.

C'est comme cela que l'on découvre que ces moines sont des gens comme nous, entre 45 et 85 ans, qu'ils ont une histoire, comme nous, une famille, des amis. Qu'il sont partis là-bas un jour comme d'autres ailleurs, parce qu'ils avaient connu ce pays d'une façon ou d'une autre et qu'ils lui étaient restés viscéralement attachés. On comprend déjà un peu pourquoi ils n'ont plus voulu jamais quitter ces gens, ces lieux qui les avaient accueillis comme on sait encore le faire dans ces pays gorgés de soleil.

La première fois que je suis allé les voir là-bas, à Tibhirine, c'était un soir de décembre. Il pleuvait, il faisait froid, la neige n'était pas loin. C'était triste, quoi... Or, à peine arrivé dans cette maison, leur maison, pauvre et chaleureuse en même temps, j'ai entendu aussitôt se former au fond de moi la conviction que les vrais moines d'aujourd'hui, c'était eux. Tout, dans leur existence, était marqué au coin du sceau de la précarité. Précarité de leur situation d'étrangers plusieurs fois expulsés-ramenés. Précarité de la situation politique et économique du pays... Précarité de leur statut de minorité religieuse... Et je pensais à Jean-Baptiste Metz qui a écrit un jour que la vie religieuse ne pourrait jamais se comprendre en dehors de son ouverture eschatologique. Sans cela qui la fonde, elle s'installe... et elle en crève. Quelle liberté j'ai sentie chez ces hommes dépouillés de tout, n'ayant à offrir que ce qui, en eux, les rendait de jour en jour plus humains.

Je n'oublierai jamais, non plus, ce petit matin où, vers 6 heures, j'ai ouvert ma fenêtre qui donnait sur les montagnes du Tamesguida. Le jour commençait à poindre, il faisait plutôt frais... Bientôt l'office des laudes, je m'y préparais, quand, soudain – et c'est peut-être à ce jour l'émotion de ma vie – j'ai entendu monter dans le ciel la voix du muezzin, belle, priante, pacifiée, pacifiante... il est vrai Dieu habite d'abord la louange de son peuple ! La mosquée ? C'est un bâtiment du monastère que les moines ont mis à la disposition de leurs voisins. Tous les après-midi on y entend les gamins de l'école coranique brailler leurs versets cadencés. Je n'ai jamais perçu dans leurs cantilations appliquées la moindre trace de violence...

Malheureusement pour tout le monde, la situation s'est dégradée rapidement, en Algérie, depuis ces jours de 1988 qui ont allumé ce brasier qui a fini aussi par encercler peu à peu le monastère. On a évidemment proposé à ces moines toutes les issues possibles pour échapper au désastre. Ils ne les ont pas refusées, car ils n'étaient pas téméraires. Mais, comme des hommes d'honneur à l'heure du naufrage, ils ont pensé : « Les femmes et les enfants d'abord. » Il n'en manquait pas, autour d'eux, de femmes et d'enfants, premiers prisonniers de cette violence quotidienne, et qui n'avaient pas le choix, eux, de partir ou de rester. Alors les moines sont restés aussi. « C'est beau, une existence fidèle, me disait Christophe, mon frère moine de là-bas, la leur, la nôtre. Une existence qui a de la tenue, mais pas en apparence. C'est de la tenue de service qu'il s'agit. Celle qui, peu à peu, au fil des jours, nous habille de beauté et de cette vérité qui dure sans nous durcir. »

J'ai pu constater par moi-même à quel point les habitants de Tibhirine s'étaient sentis soutenus dans leur détresse par le fait que ces simples moines qui vivaient au milieu d'eux depuis toutes ces années avaient choisi aussi de ne pas se dérober au moment de l'épreuve. Et quand l'islam de leurs pères subit maintenant aux yeux de tous l'humiliation que l'on sait, il leur était infiniment précieux de savoir que c'est au nom de leur foi au Dieu unique, le Clément, le Miséricordieux, qu'ils l'ont fait.

Jean Daniel, directeur du *Nouvel Observateur*, se demande dans son dernier livre [1] si ce Dieu-là ne serait pas, au contraire, sinon le plus fanatique, du moins le plus grand fanatiseur de l'histoire. Si l'Absolu auquel se réfèrent les monothéismes ne serait pas par nature le refuge même de l'inhumain ? La réponse à cette question ne s'improvise pas. Il y a trop de preuves de ce « divin » fanatisme sur les décombres encore fumantes de nos histoires même les plus récentes.

---

1. Jean Daniel, *Dieu est-il fanatique ?* Essai sur une religieuse incapacité de croire, Arléa, 1996.

L'« envoûtement » qu'il soupçonne être le moteur de plus d'un de ces comportements collectifs quasi hystériques n'est jamais loin, en effet. L'histoire de l'Église elle-même n'a jamais manqué de bataillons de moines pour les mettre au service de tous ses intégrismes inquisiteurs qui sont autant de péchés contre l'Esprit.

Les moines, eux, ne font pas carrière. Ni dans l'Église, ni dans le monde... ni dans l'armée ! Tout le labeur de leur existence, celle des pères du désert d'Égypte au IVe siècle comme celle de ces sept trappistes de l'Algérie contemporaine, consiste, au contraire, à essayer – s'il se peut – d'éradiquer du cœur de l'homme toute volonté de puissance. L'ambition de ce programme-là tient tout entière dans les mots tout simples de la bouleversante prière quotidienne de mon frère Christian, le prieur de ce monastère Notre-Dame-de-l'Atlas « Seigneur, désarme-moi, Seigneur, désarme-les. »

Jean Daniel a mis en exergue de son livre une citation de Paul Ricœur qui explicite peut-être d'une façon tout à fait pertinente le sens de la vocation monastique de nos frères moines d'Algérie : « Si vraiment les religions doivent survivre... il leur faudra en premier lieu renoncer à toute espèce de pouvoir autre que celui d'une parole désarmée ; elles devront en outre faire prévaloir la compassion sur la raideur doctrinale ; il faudra surtout – et c'est le plus difficile – chercher au fond même de leurs enseignements ce surplus non dit grâce à quoi chacune peut espérer rejoindre les autres, car ce n'est pas à l'occasion de superficielles manifestations, qui restent des compétitions, que les vrais rapprochements se font : c'est en profondeur seulement que les distances se raccourcissent. »

Je pourrais y ajouter encore ce que mon frère Christophe m'écrivait peu avant son enlèvement : « N'est-on pas entrés maintenant, toi et moi, dans la " patience " qui ne vise rien ? Et puis cette responsabilité à laquelle il ne faut pas se dérober, sous prétexte que nous n'avons pas de responsabilités. »

Mais, si l'on veut comprendre un jour pourquoi ils sont restés là-bas, on ne pourra pas oublier plus longtemps que c'est essentiellement parce qu'il sont devenus eux aussi les disciples d'un homme dont la divinité n'était apparue évidente à ses propres compagnons d'existence que le jour où ils ont dû ramasser son cadavre par terre. Rude traversée, en effet, qui fait dire à Jean Daniel que « la foi n'est innocente que dans une mystique individuelle ». Peut-être, en effet. En tout cas elle ne pourra pas s'épanouir en faisant l'économie de ce « retournement »-là parce qu'il nous guérit à tout jamais de toute volonté de puissance. Toutes les stratégies « pastorales », comme on dit, n'y pourront rien, c'est de proche en proche que le feu de l'amour fait reculer la nuit.

Mon frère Christophe, otage, me disait il y a

peu : « La foi ? Peut-être que ça commence et que ça recommence chaque jour, jusqu'à son dernier souffle avec cette prière : " Seigneur, augmente en nous la foi. " Mais ça, c'est déjà une bonne nouvelle, de pressentir que chacun de nous puisse faire des progrès dans ce domaine ; non pas à force de mérites mais en s'offrant, serviteur quelconque, pas insolent, pas orgueilleux, ni imbu de ses droits ou de je ne sais quelle supériorité, mais en faisant simplement, humblement, soi-même des progrès. La foi, eh bien, à force de questions, d'attention aussi, eh bien elle nous arrive comme la sève dans la nuit de l'arbre. Comme quelque chose en nous qui grandit, qui pousse, qui nous pousse... »

Pour le moment, comme Jacques Julliard, nous cachons comme nous pouvons notre chagrin, notre colère aussi, derrière cette lancinante question : Qu'est-ce donc que cet islam-là qui ne respecte même pas la prière des autres ?

Texte intégral de l'article
publié en partie par *Le Nouvel Observateur*,
16 mai 1996.

Fatwa du Conseil national des imams, en date du 7 mai 1996

Au nom de Dieu, le Clément, le Miséricordieux,

La communauté musulmane en France manifeste sa grande affliction face aux événements que connaît l'Algérie et qui ont pris une nouvelle tournure après l'enlèvement des hommes de l'Église chrétienne, exposés ainsi au danger sans qu'ils aient commis de péchés. Elle considère que ceci est un grave précédent au vu des considérations suivantes :

1. Les hommes de religion chrétienne n'ont jamais participé au conflit en Algérie. Leur implication dans le jeu politique montre l'impuissance et la faiblesse de leurs ravisseurs, puisqu'ils ont choisi des gens désarmés et dépourvus de toute protection. Autant de faits en contradiction avec les principes de la glorieuse religion de l'islam, affectant leurs auteurs d'une image déplorable et

ouvrant la brèche à toutes sortes de maux, dont l'engrenage de la vengeance.

2. L'islam tolère la liberté de culte pour toutes les religions du ciel et n'a jamais accepté de contraindre quelqu'un à renoncer à sa religion. Dieu a dit : « Pas de contrainte en religion » (Coran, sourate II, verset 256). Le Coran n'a pas manqué d'éloges ni à l'égard des prêtres ni à l'égard des moines : « Et tu trouveras certes que les plus disposés à aimer les croyants sont ceux qui disent : " Nous sommes chrétiens. " C'est qu'il y a parmi eux des prêtres et des moines et qu'ils ne s'enflent pas d'orgueil » (Coran, sourate V, verset 82).

3. L'islam a ordonné de bien traiter les gens du Livre. Dieu a dit : « Dis : Ô gens du Livre, venez à une parole commune entre nous et vous : que nous n'adorions qu'Allah, sans rien lui associer » (Coran, sourate III, verset 64).

4. L'islam a également reconnu l'existence d'édifices religieux pour les non-musulmans en terre islamique, a ordonné de les protéger et de ne pas leur nuire. Historiquement, le mouvement d'expansion de l'islam a respecté les églises et les monastères.

Ainsi le calife Omar Ibn El Khattab (634-644) a refusé de faire la prière dans l'église de Jérusalem de peur que les musulmans ne s'y attachent et ne la retirent à ses propriétaires. Et Omar Ibn Abdelaziz (717-720) a ordonné la reconstruction, à partir des fonds mêmes du trésor musulman, d'une église démolie sous sa responsabilité.

À propos des lieux de culte, Dieu a dit : « Si Allah ne repoussait pas les gens les uns par les autres, les ermitages seraient démolis, ainsi que les églises, les synagogues et les mosquées où le nom d'Allah est beaucoup invoqué » (Coran, sourate XXII, verset 40).

5. Si c'est la satisfaction de Dieu qu'on désire par l'enlèvement de ces moines, alors on doit savoir que Dieu est juste et qu'il n'accepte pas l'outrage. Il ne pardonnera pas à quiconque nuit à un musulman ou à un dimmi. Il est dit dans un hadith qodossi : « Ô mes serviteurs, je me suis interdit l'outrage et je vous l'ai interdit entre vous. »

L'islam a aussi proscrit la punition d'un homme pour une faute commise par un autre. Dieu a dit : « Toute âme est l'otage de ce qu'elle a acquis » (Coran, sourate LXXIV, verset 38).

Dieu a interdit aussi l'assassinat d'une manière générale. Il a dit : « Celui qui a tué un homme qui lui-même n'a pas tué, ou qui n'a pas commis de violence sur la terre, est considéré comme s'il avait tué tous les hommes ; et celui qui sauve un seul homme est considéré comme s'il avait sauvé tous les hommes » (Coran, sourate V, verset 32).

L'illégalité de l'agression contre les moines, que nous avons décidée, n'est autre que le jugement édicté par tous les textes coraniques et les propos prophétiques. Il y a un consensus de toute la nation musulmane dans toutes les étapes de son histoire autour de cela. Aucun de ses savants ne s'est démarqué de cette vision, aussi bien jadis qu'aujourd'hui, et quiconque s'éloigne de cette ligne se dirige vers l'enfer. Nous nous devions d'apporter cette précision. Que Dieu nous aide.

Le Conseil national des imams est l'instance théologique du Haut Conseil des musulmans de France (HCMF), créé en décembre 1995 et rassemblant plusieurs centaines d'associations locales.

Une fatwa est un jugement porté sur une question d'actualité en référence au Coran et à la tradition islamique (NDE).

Consternation et perplexité

par Sadek Sellam, écrivain,
auteur de Être musulman *aujourd'hui*
Éd. Nouvelle Cité

De nombreux musulmans de France notamment parmi les permanents de l'islam – se sont contentés de répliquer aux déclarations faites par le cardinal Lustiger juste après l'annonce de l'exécution des sept trappistes de Tibhirine, et se sont abstenus de se prononcer sur les problèmes de fond soulevés par l'archevêque de Paris.

Certes, le lapsus de l'archevêque de Paris en dit long sur l'état d'esprit d'une partie de l'opinion qui continue de manifester son scepticisme sur le dialogue islamo-chrétien, vingt et un ans après la création d'une instance comme le Secrétariat pour les relations avec l'islam. Et beaucoup de musulmans, en soulignant ces difficultés, ont cherché à rappeler le manque d'empressement d'une partie de l'opinion française à condamner, fermement et rapidement, toutes les agressions dont l'islam est régulièrement victime : déportation dans les camps du Sud algérien de dizaines de milliers d'innocents, assassinat dans sa mosquée de l'imam du 18ᵉ arrondissement de Paris par un commando qui court toujours, viols massifs des musulmans bosniaques au nom du « nettoyage ethnique », ou massacre des Tchéchènes par l'armée russe...

Ces objections ne sont pas sans fondement, et elles devraient être prises en compte par la partie des médias qui, aux yeux des musulmans, continue de pratiquer une indignation sélective. Mais cela ne doit pas fournir une justification pour certains musulmans de France qui persistent à vouloir faire l'économie d'une réflexion et d'un examen de conscience qu'imposent les tiraillements provoqués par les dérives d'une partie de l'islam politique radicalisé. Ces tiraillements sont dus au choc que provoquent les justifications de la violence par le Coran sur la communauté des fidèles qui s'efforce de rester attachée aux valeurs d'un islam pacifique, conçu comme le stabilisateur irremplaçable de la conscience du croyant et comme le fournisseur des normes permettant de mettre au point les relations avec autrui. C'est à cet islam-là que Charles de Foucauld (dont les trappistes de Tibhirine étaient des admirateurs, avant de connaître, à quatre-vingts ans d'intervalle, son destin tragique), Ernest Psichari et Louis Massignon doivent leur retour à la foi chrétienne. Les valeurs de cet islam ont aussi séduit le docteur Grenier, le peintre Dinet et le positiviste Christian Cherfils. Le porte-à-faux ressenti par les musulmans paisibles que choquent les outrances du khomeinisme – qu'il soit chiite ou sunnite – a conduit beaucoup de pratiquants à cesser de fréquenter les mosquées pour prier discrètement chez eux.

L'affaire des trappistes a porté au paroxysme la consternation et la perplexité des musulmans qui persistent à considérer la foi religieuse comme une force intérieure plutôt qu'une menace pour autrui, et pour qui l'intégration des gens du Livre dans la Cité musulmane – dont le caractère multiconfessionnel a été voulu par le Prophète dès la rédaction de la première charte promulguée juste après l'installation à Médine – constitue un des motifs de fierté de l'islam. Quelles que soient les supputations des politologues, ce sont des musulmans – qu'ils soient issus des milieux islamistes extrémistes ou agissant pour le compte d'officines spécialisées dans la manipulation des franges d'un mouvement effervescent – qui ont assassiné, en terre d'islam, des religieux, à qui le droit public musulman médiéval recommandait de destiner des aides financières, et qui s'adonnaient à des activités aussi nobles que la prière, l'étude et la culture de la terre que les désastres des socialismes agraires et les progrès de l'affairisme dans les mentalités ont sérieusement dévalorisée aux yeux des Algériens.

C'est ce genre de forfaits, qui sont commis

régulièrement depuis le début des années 80, qui provoque chez des musulmans acquis *de facto* à la laïcité un émoi d'autant plus ressenti que l'islam de France n'a toujours pas de direction spirituelle qui ait la volonté et, surtout, les compétences pour aider la communauté des fidèles à surmonter la consternation et la perplexité. Les trop nombreux porte-parole – parachutés ou autoproclamés – ont préféré substituer au débat d'idées la querelle pour la taxe halal. Et leur triple dépendance – financière, politique et théologique – les liant à des États ou des organismes supranationaux musulmans restés réfractaires à toute velléité de laïcisation (du fait de leurs options asservissant le religieux au politique, ou mettant le pouvoir entre les mains de théologiens) les rend inaptes à renouer avec la liberté de pensée qui ne fut pas une vaine formule dans le système politico-juridico-religieux de l'islam médiéval.

Compte tenu de ce désagréable constat de carence, l'on ne peut que donner acte au P. Lustiger quand il déplore l'absence de vis-à-vis musulmans de qualité avec lesquels une réelle et durable concertation interreligieuse pourrait être engagée.

Seule l'ouverture d'un « espace scientifique de l'islam garanti par l'État laïque » (M. Arkoun) pourrait apporter un début de solution à cette crise chronique de la représentation des musulmans de France. Pour cela, il faudrait une rupture définitive avec les hésitations et les imprécisions qui ne sont pas sans rappeler les casuistiques au nom desquelles les pouvoirs coloniaux refusèrent d'appliquer la loi de 1905 à l'islam algérien, sans doute pour perpétuer « le maintien du culte musulman sous le contrôle de la police » (L. Massignon).

Il reste à savoir si les hiérarques des autres religions sont disposés à recommander que l'islam cesse d'être un culte de deuxième zone. L'attitude adoptée par certains d'entre eux lorsque les professeurs A. Merad et M. Arkoun proposèrent – vainement – l'ouverture d'établissements d'enseignement supérieur musulman autorise encore les interrogations qui méritent des éclaircissements convaincants.

La Croix, 6 juin 1996.

Nos frères de l'Atlas
Pour une lecture croyante des événements

par Dom Bernardo Oliveira
abbé général des trappistes

Bien chers frères et bien chères sœurs,

Durant ces jours que nous vivons, entre le dimanche de la Pentecôte et celui de la Trinité, où à la cathédrale d'Alger comme toutes les communautés de l'ordre cistercien S.O. nous ferons mémoire de nos sept frères de l'Atlas, il me semble important d'essayer de relire à la lumière de la foi les événements qui nous affectent tous si profondément depuis l'annonce de la mort de nos frères.

Un témoignage à ne pas oublier

La lettre apostolique *Tertio Millennio Adveniente* du pape Jean-Paul II en vue de la préparation du jubilé de l'an 2000 rappelle que l'Église du premier millénaire est née du sang des martyrs. « C'est là un témoignage à ne pas oublier » (TMA, 37). Nos frères de l'Atlas nous laissent ce témoignage aujourd'hui, alors que nous allons célébrer en 1998 les 900 ans de la fondation de Cîteaux et, en l'an 2000, les 2000 ans depuis la naissance et la mort de Jésus Christ. Un témoignage à ne pas oublier.

Le mystère de l'homme, de tout homme, ne se manifeste véritablement que dans le mystère du Verbe fait homme : le témoignage de nos frères comme notre témoignage à nous tous, moines et moniales, croyants et croyantes, ne se comprend que par celui du Christ Jésus. Et voici quel est le témoignage du Témoin fidèle : Dieu est amour ! Père, pardonne-leur car ils ne savent pas ce qu'ils font ! Que ton règne vienne, pardonne-nous nos péchés comme nous pardonnons à ceux qui nous ont offensés !

Par un vœu de « stabilité » jusqu'à la mort

Communauté de l'Ordre et stabilité

La décision de nos frères de l'Atlas n'est pas unique. Nous faisons tous, comme moines de la tradition bénédictine cistercienne, un vœu de « stabilité » qui nous lie jusqu'à la mort à notre communauté et au lieu où vit cette communauté. Plusieurs communautés de notre Ordre, confrontées à la guerre ou à la violence armée au cours de ces dernières années, ont dû réfléchir à nouveau sérieusement sur le sens de cet engagement et prendre la décision soit de quitter leur monastère soit de rester sur place. Ce fut le cas des communautés de Huambo et de Bela Vista, en Angola, de la communauté de Butende, en Ouganda, de la communauté de Marija Zvijezda, à Banja Luka en Bosnie et, tout récemment, de nos frères de Mokoto au Zaïre. Alors que Huambo, Bela Vista et Marija Zvijezda choisissaient de demeurer là où se trouvait leur monastère, les frères de Mokoto décidaient, eux, de prendre la route de l'exil. Dans chacun de ces cas, la décision a été prise par toute la communauté à la suite d'échanges communautaires.

Comment comprendre la profondeur de ce vœu dans une vie de moine ? Peut-être que le texte de la lettre que père Christian avait projeté d'envoyer le 28 décembre 1993 à Sayah Attiya, chef du GIA et du groupe armé qui s'était présenté au monastère la veille de Noël, pourrait nous donner le sens de ce vœu : « Frère, permettez-moi de m'adresser à vous ainsi, d'homme à homme, de croyant à croyant. [...] Dans le conflit actuel que vit le pays, il nous semble impossible de prendre parti. Notre qualité d'étrangers nous l'interdit. Notre état de moines (*ruhbân*) nous lie au choix de Dieu sur nous qui est de prière et de vie simple, de travail manuel, d'accueil et de partage avec tous, surtout avec les plus pauvres. [...] Ces raisons de vivre sont un choix libre de chacun de nous. Elles nous engagent jusqu'à la mort. Je ne pense pas que cela soit la volonté de Dieu que cette mort vienne par vous. [...] Si, un jour, les Algériens estiment que nous sommes de trop, nous respecterons leur désir de nous voir partir. Avec un très grand regret. Je sais que nous continuerons de les aimer tous, ensemble, et vous en êtes. Quand et comment ce message vous parviendra-t-il ? Peu importe ! J'avais besoin de vous l'écrire aujourd'hui. Pardonnez-moi de l'avoir fait dans ma langue maternelle. Vous me comprendrez. Et que l'Unique de toute vie nous conduise ! Amin ! »

Discernement communautaire

Je trouve important de rappeler ici les grandes étapes de ce discernement tel que nos frères de l'Atlas ont pu le vivre depuis la visite de six personnes armées la veille de Noël 1993 quand on avait cherché à les compromettre et à les obliger à « collaborer » avec le mouvement armé (aide médicale, appui économique et appui logistique). Le *wali* (le préfet) de Médéa leur ayant offert une protection armée, les moines refusèrent car ils voulaient être un signe de paix pour tous. Ils

241

refusèrent également de vivre dans un endroit
« protégé » à Médéa plutôt qu'au monastère. Ils
acceptèrent de fermer les portes de 17 h 30 à
7 h 30 du matin et d'avoir une nouvelle ligne
téléphonique reliée à la maison du gardien.

Dans les jours qui suivirent, les moines
décidèrent finalement, par une série de votes
communautaires, de rejeter toute forme de collaboration avec le groupe armé (sauf éventuel-
lement pour une aide médicale au monastère
même), de rester à l'Atlas, tout en réduisant
provisoirement le nombre de frères présents au
monastère, de ne pas retourner en France s'ils
devaient un jour quitter l'Atlas mais de se rendre
plutôt au Maroc, en attendant de pouvoir revenir
à l'Atlas quand les circonstances le permettraient.
Ils décidèrent enfin de ne pas recevoir de novices
à l'Atlas. Au nonce apostolique qui les avait
invités, dans une lettre du 24 juin, à venir s'installer à la nonciature, les frères répondirent qu'ils
ne voyaient pas pour l'instant la nécessité de
transférer la communauté à la résidence de la
nonciature mais que, si cette heure venait, ils
discerneraient avec le nonce et l'évêque ce qu'il y
aurait lieu de faire.

Le 16 décembre 1994, les frères de l'Atlas, au
terme de nouveaux échanges communautaires,
avaient voulu prendre de nouveaux votes pour
confirmer leur option de l'année précédente.

Mgr Teissier, venu leur rendre visite à cette occasion, leur avait laissé un message où il les remerciait de prendre ainsi le risque de prolonger leur présence et leur témoignage, alors que les passages de groupes armés s'affirmaient dans leur secteur. Il leur redisait combien leur présence de prière et de travail quotidien à Tibhirine était significative pour toute la communauté chrétienne d'Alger, et il les remerciait pour le courage de cette fidélité.

Possibilité d'une mort violente

Dans le discernement qui les a conduits à cette décision de rester à l'Atlas malgré la situation de tension qui prévalait, les frères étaient conscients de la possibilité d'une mort violente. La lettre que le père Christian m'écrivait, après l'assassinat de deux religieuses en septembre 1995, le dit clairement : « La célébration avait un beau climat de sérénité et d'offrande. Elle réunissait une toute petite Église dont les membres restants ont tous conscience que la logique de leur présence doit inclure désormais l'éventualité d'une mort violente. C'est, pour beaucoup, comme une plongée neuve et radicale dans le charisme même de leur congrégation... et aussi un retour à la source du premier appel. Pour autant, il est clair que le vœu de tous est bien qu'aucun de ces Algériens, à qui notre consécration nous lie au nom de l'amour que Dieu leur porte, ne blesse cet amour en tuant l'un quelconque d'entre nous, l'un quelconque de nos frères. » La réflexion de père Christian sur la possibilité d'une mort violente était devenue sa prière, celle de l'homme qui se veut totalement désarmé de toute forme de violence devant son semblable, son frère : « Seigneur, désarme-moi et désarme-les. »

À trois reprises au moins, surtout à l'occasion de l'assassinat d'autres religieux et religieuses dont il était proche, père Christian évoquera cette possibilité.

Après l'assassinat de frère Henri, mariste : « J'étais personnellement très lié à Henri. Sa mort me paraît si naturelle, si conforme à une longue vie tout entière donnée par le menu. Il me semble appartenir à la catégorie de ce que j'appelle « les martyrs de l'espérance », ceux dont on ne parle jamais parce que c'est dans la patience du quotidien qu'ils versent tout leur sang. Je comprends en ce sens le « martyre monastique ». Et cet instinct qui nous porte, actuellement, à ne rien changer, si ce n'est dans un effort permanent de conversion (mais là encore, pas de changement !) » (lettre du 5 juillet 1994).

Après la mort des augustines missionnaires, quand les frères refirent l'option de rester malgré les risques : « [...] Les communautés d'hommes semblent maintenir leur option de rester. C'est clair jusqu'à présent pour les jésuites, les petits frères de Jésus, les pères blancs dans leur ensemble. C'est aussi clair pour nous. À Tibhirine, comme ailleurs, cette option a ses risques, c'est évident. Chacun m'a dit vouloir les assumer, dans une démarche de foi en l'avenir, et de partage du présent avec un voisinage toujours très lié à nous. La grâce de ce don nous est faite au jour le jour, très simplement. Fin septembre, nous avons eu une autre « visite » nocturne. Cette fois-ci, les « frères de la montagne » voulaient utiliser notre téléphone. Nous avons prétexté que nous étions sur écoute... puis fait valoir la contradiction de notre état et une quelconque complicité avec tout ce qui pourrait attenter à la vie d'autrui. Ils nous ont donné des assurances, mais la menace était là, armée bien sûr » (lettre du 13 novembre 1994).

Après l'assassinat des sœurs de Notre-Dame-des-Apôtres : « Le pape a eu la grande délicatesse de nous envoyer un délégué spécial qui a présidé les obsèques, le secrétaire de la congrégation des religieux, etc. Nous avons pu le rencontrer cet après-midi dans une réunion entre évêques et supérieurs majeurs. Ce fut particulièrement remarquable. Avec le sourire et beaucoup de conviction, il nous a confirmés dans notre aujourd'hui, face à l'histoire de l'Église, au dessein de Dieu, et à notre vocation religieuse incluant l'éventualité du « martyre », tout comme l'exigence d'une disponibilité à cette forme de fidélité personnelle que l'Esprit veut susciter et donner ici et maintenant. Ce qui n'empêche pas certaines dispositions concrètes et des réflexes élémentaires de prudence et de discrétion » (lettre du 7 septembre 1995).

Martyrs de l'amour et de la foi

Au cours de ce XXe siècle, deux autres communautés de notre Ordre auront donné à l'Église et au monde d'authentiques martyrs de l'amour et de la foi : les trente-trois martyrs de Notre-Dame-de-Consolation, en Chine, en 1947-1948, et les dix-neuf martyrs de Notre-Dame-de-Viaceli, en Espagne, en 1936-1937. La cause de béatification de ces martyrs est déjà introduite à Rome. Nos sept frères de Notre-Dame-de-l'Atlas viennent eux aussi de nous donner ce même témoignage d'amour et de foi.

Dans ces trois situations, il ne s'agit pas d'une grâce individuelle mais d'une grâce communautaire. Dans un contexte cénobitique comme celui d'un monastère cistercien, il est difficile de ne pas être saisi par ce fait d'une vie vécue et donnée ensemble. Et cette grâce communautaire du martyre aura également été une grâce ecclésiale. L'amour de nos frères pour l'Église d'Algérie et pour leur Église locale d'Alger est bien connu. Leur vie et leur mort s'inscrivent au registre de tous ces hommes et de toutes ces femmes, religieux et religieuses, chrétiens et musulmans, qui ont vécu et donné leur vie pour Dieu et pour les autres.

Au nom de l'Évangile

Le 27 avril 1996, un mois donc après l'enlèvement des moines, le journal *Al Hayat* publiait des extraits du communiqué 42 du GIA, daté du 18 avril : l'émir du GIA ne reconnaît pas l'*aman*, la protection que leur avait accordée son prédécesseur, et d'ailleurs cet *aman* n'aurait pas été licite puisque les moines, tel que le rapporte le communiqué 43, « n'ont pas cessé d'appeler les musulmans à s'évangéliser, de mettre en exergue leurs slogans et leurs symboles, et de commémorer solennellement leurs fêtes ». L'émir affirme en outre que « les moines qui vivent parmi les gens du peuple peuvent être licitement tués », et tel est le cas des moines de l'Atlas : « Ils vivent avec les gens et les écartent du chemin divin en les incitant à s'évangéliser. » Et il termine en disant : « Il est aussi licite de leur appliquer ce qu'on applique aux mécréants originels lorsqu'ils sont des combattants prisonniers : le meurtre, l'esclavage ou l'échange avec des prisonniers musulmans. » Puis vient l'avertissement : la non-libération des prisonniers du GIA aura comme conséquence la mort des moines. « Vous avez le choix. Si vous libérez, nous libèrerons, et si vous refusez, nous égorgerons. Louange à Dieu ! » Nos frères ont été condamnés à mort au nom de l'Évangile qu'ils ont professé.

Le pardon des ennemis

Après l'assassinat de frère Henri, père Christian écrivait à un groupe d'amis : « Pas de plus grand amour que de donner sa vie pour ceux qu'on aime... », disait Jésus dans l'Évangile de ce 8 mai 1994. Si cette parole sonne si juste sur la vie d'Henri, ce n'est pas parce qu'elle en illustre le dernier jour. C'est bien parce que nous reconnaissons que notre frère fut essentiellement « donné », jusqu'à ce don parfait du pardon inclus d'avance dans la première proposition qu'il m'envoyait pour ajuster à la situation actuelle les orientations concrètes de notre groupe : « Dans nos relations quotidiennes, prenons ouvertement le parti de l'amour, du pardon, de la communion, contre la haine, la vengeance, la violence » (lettre du 15 mai 1994).

À la fin de la retraite avant Noël, en 1994, père Christophe reprenait les points forts de cette retraite, ce qui l'avait marqué, interpellé. Tout serait à citer. J'en retiens ce paragraphe au milieu de son texte : « Et je vois bien que notre mode particulier d'existence – moines cénobites – eh bien ! ça résiste, ça tient et ça vous maintient. Ainsi, pour détailler un peu. L'office : Les mots des psaumes résistent, font corps avec la situation de violence, d'angoisse, de mensonge et d'injustice. Oui, il y a des ennemis. On ne peut pas nous contraindre à dire trop vite qu'on les aime, sans faire injure à la mémoire des victimes dont chaque jour le nombre s'accroît. Dieu Saint ! Dieu fort ! Viens à notre aide ! Vite, au secours ! »

À Pâques 1995, je me trouvais chez nos sœurs de Huambo, en Angola ; la guerre n'avait pris fin que depuis quelques mois. Le matin de Pâques, sœur Tavita faisait sa profession temporaire. Elle avait choisi comme lecture biblique, pour sa profession, le passage de l'Évangile sur l'amour des ennemis. L'épreuve peut être une expérience écrasante, elle peut aussi donner lieu au pardon et à l'amour des ennemis. Cela a un sens, un sens à recevoir et à reconnaître. Et c'est peut-être seulement la découverte de ce sens qui donne à père Christophe de prêter à frère Luc le dernier mot qui vient clore et signer sa réflexion à la suite de cette retraite spirituelle : « Pour le premier janvier 1994, inaugurant l'année et le mois de ses 80 ans, au réfectoire, nous avons écouté la cassette qu'il garde en réserve pour le jour de son enterrement : Édith Piaf chantant : " Non, je ne regrette rien ! " »

Avec l'agneau égorgé

« Alors je vis : un agneau se dressait qui semblait égorgé... » (Apocalypse 5, 6).

« Voici le temps du salut, de la puissance et du règne de notre Dieu, et de l'autorité de son Christ ; car il a été précipité, l'accusateur de nos frères, celui qui les accusait devant notre Dieu, jour et nuit. Mais ils l'ont vaincu par le sang de l'agneau, et par la parole dont ils ont rendu témoignage : ils n'ont pas aimé leur vie jusqu'à craindre la mort » (Ap 12, 10-11).

« Après cela, je vis : c'était une foule immense... Ils se tenaient tous devant le trône et devant l'agneau... Ils viennent de la grande épreuve. Ils ont lavé leurs robes et les ont blanchies dans le sang de l'agneau... et l'agneau sera leur berger, il les conduira vers des sources d'eaux vives. Et Dieu essuiera toute larme de leurs yeux » (Ap 7, 9.14.17).

Exécutés

Le 23 mai 1996, nous apprenions par le ministère des affaires étrangères de France qu'une radio marocaine avait diffusé un nouveau communiqué (numéro 44) du GIA. Ce communiqué donne le sens de l'exécution de nos frères par leurs ravisseurs et doit être lu à la lumière du communiqué précédent et des motifs de condamnation évoqués par l'émir du GIA et qui prévoyait : le meurtre, l'esclavage ou l'échange avec des prisonniers musulmans.

Comme il n'y a pas eu d'échange de prisonniers, le GIA a décidé d'appliquer la sentence prévue :

« Le 18 avril 1996, un communiqué a été publié. [...] Et nous avons dit : Si vous libérez [Abdelhak Layada...], nous libérons [les moines], si vous refusez, nous égorgeons. Le 30 avril 1996, nous avons envoyé un émissaire à l'ambassade de France [...], porteur d'une cassette audio prouvant que les moines sont toujours en vie, et un message écrit précisant les modalités des négociations, s'ils [les Français] veulent récupérer leurs prisonniers vivants. Dans un premier temps, ils se sont montrés disposés [à le faire] et nous ont écrit une lettre signée et cachetée. [...] Quelques jours après, le président français et son ministère des affaires étrangères ont déclaré qu'ils ne dialogueraient ni ne négocieraient avec le GIA. Ils ont interrompu ce qu'ils avaient commencé, et nous avons tranché la gorge des sept moines, fidèles [en cela] à notre engagement. [...] Louange à Dieu ! [...] Et ce fut exécuté ce matin [le 21 mai]. »

Laissez retentir la voix de nos martyrs !

La vie et la mort de nos sept frères de l'Atlas

est un témoignage à ne pas oublier. Que la diplomatie, la politique ou un regard sans transcendance sur ces événements n'aille pas nous priver de la voix de nos martyrs et faire taire la clameur de leur cri d'amour et de foi. Depuis le martyre du combat spirituel jusqu'au martyre du sang versé, c'est le même cri qui appelle au pardon et à l'amour des ennemis. La vie est plus forte que la mort : l'amour a le dernier mot !

Chers frères et chères sœurs, à l'aube du 9e centenaire de Cîteaux et du jubilé de l'an 2000, ces événements sont un « signe des temps » pour nous, une Parole de Dieu qui ne lui retournera pas sans avoir fécondé nos cœurs et porté des fruits. Aujourd'hui, si vous entendez sa voix, en tant que personnes et en tant que communautés, ne fermez pas votre cœur mais écoutez cette invitation pressante à persévérer dans la conversion et dans la marche radicale à la suite de Jésus et de son Évangile. Que l'exemple de nos sept frères avive en nous la brûlure de l'amour [1] jusqu'à n'avoir plus d'autre dette entre nous que l'amour fraternel et jusqu'à pardonner et aimer ceux qui ont tué nos frères.

Lettre envoyée à toutes les communautés
de l'ordre des cisterciens trappistes,
le 27 mai 1996.

---

1. *Ferventissimo amore*, Règle de saint Benoît, ch. 72.

Table des matières

II. TÉMOIGNAGES

Achevé d'imprimer en juillet 1996
sur système Variquik
par l'imprimerie SAGIM
à Courtry

Imprimé en France

Dépôt légal : juillet 1996
N° d'impression : 1749

N° d'édition : 2502